Llibres
15/3
PC 3925 QUA.

LES MILLORS OBRES DE LA LITERATURA CATALANA

97

Director de la col·lecció:
Joaquim Molas
Redacció:
Carme Arnau

PERE
QUART

POEMES ESCOLLITS

A cura de Joan-Lluís Marfany

Edicions 62, Barcelona

Aquesta col·lecció és una iniciativa conjunta
d'EDICIONS 62 s/a. i de la CAIXA DE PENSIONS
PER A LA VELLESA I D'ESTALVIS
DE CATALUNYA I BALEARS, «la Caixa».

QUEEN MARY & WESTFIELD
COLLEGE LIBRARY
(MILE END)

No es permet la reproducció total o parcial d'aquest llibre, ni el recull en un sistema informàtic, ni la transmissió en qualsevol forma o per qualsevol mitjà, ja sigui electrònic, mecànic, per fotocòpia, per registre o per altres mètodes, sense el permís previ i per escrit dels titulars del copyright i de la casa editora.

Primera edició (dins MOLC): febrer de 1983.
Segona edició: desembre de 1986.
© Hereus de Joan Oliver i Sellarès, 1983, 1986.
Disseny d'Enric Mir.
Drets exclusius d'aquesta edició:
Edicions 62 s/a., Provença 278, 08008 Barcelona.
Imprès a Grafos s/a., Art sobre paper.
Passeig Carles I 157, 08013 Barcelona.
Dipòsit Legal: B. 38.724-1986.
ISBN: 84-297-1994-6.

Pere Quart

Pere Quart és el nom que usava per a signar la seva poesia l'home conegut com a Joan Oliver tant en la seva vida civil com en les seves altres facetes d'autor literari. Joan Oliver va néixer a Sabadell el 29 de novembre de 1899, en el si d'una acabalada família de la burgesia industrial: un seu besavi havia estat fundador de la Caixa d'Estalvis de Sabadell, i el seu avi matern era Joan Sallarès i Pla, un dels màxims capitostos del Foment del Treball en el tombant de segle. La seva infància i joventut semblen haver estat les típiques d'un fill de casa bona. Va estudiar Dret, com era de rigor, va viatjar força per Europa, i es va dedicar de bona hora a la literatura amb l'esperit amateur, tocat d'un pèl de frivolitat, característic del grup de joves sabadellencs del qual formava part i que, entre d'altres coses, va fundar l'editorial "La Mirada". Probablement per una barreja d'exigència amb si mateix i de manca de pressions externes, gràcies al desembaràs de les seves circumstàncies econòmiques, la seva plena incorporació a la vida literària del país va ser relativament tardana: el seu primer llibre, el recull de contes *Una tragèdia a Lil·liput*, no va aparèixer fins al 1928. Però a partir del seu segon llibre, i primer de poesies, *Les Decapitacions* (1934), i en un procés que coincideix, i no pas per casualitat, amb la crisi política d'aquells anys, entra en una etapa d'actiu professionalisme i comença a publicar i estrenar amb assiduïtat: les peces *Cataclisme* (1935) i *Allò que tal vegada s'esdevingué* (1936), una *Oda a Barcelona* (1936), el recull de contes *Contraban* i el seu segon llibre de poemes, *Bestiari* (1937 tots dos). En totes aquestes obres emprèn, des d'angles i amb procediments diversos, una crítica lúcida i corrosiva de la seva pròpia classe. A partir dels fets de juliol de 1936 multiplica les seves activitats literàries i cíviques i esdevé un dels actors més prominents, des del camp intel·lectual, en la lluita antifeixista, alhora que intenta de crear, amb la ja esmentada *Oda a Barcelona* i amb el drama *La fam* (1938), una literatura realista i –com hom dirà més tard– engatjada que correspongui a les necessitats d'aquesta lluita i de la nova societat que, a través d'ella, hom pretenia d'establir.

La desfeta de 1939, naturalment, ho canvia tot. El febrer Joan Oliver marxa a l'exili. Passa un any a França i després s'embarca cap a Sud-amèrica. Viu una breu temporada a Buenos Aires i finalment s'estableix a Santiago de Xile, on sobreviu primerament, a base de traduccions i de col·laboracions per a la premsa i la ràdio, i més tard, com a soci d'una modesta impremta. La mort de la seva dona s'afegeix a les desgràcies col·lectives, i en retornar el 1948, a la trista Barcelona del franquisme, és depurat amb dos mesos i mig de presó. Tot plegat agreuja el seu sentiment de pèrdua, desolació i pessimisme. Però si bé la literatura que escriu i publica en aquests anys, introspectiva, adolorida i amarga, reflecteix aquest nou estat d'ànim, Oliver no es tanca, ni s'aïlla, sinó que treballa activament per la recuperació col·lectiva. Dedica sobretot els seus esforços a la creació d'un teatre català que sigui alhora assequible a un públic burgès mitjà, i literàriament i ideològicament digne: hi contribueix amb excel·lents traduccions, com la del *Misantrop* de Molière (1951) i la del *Pigmalió* de Shaw (1957), amb obres pròpies com *Ball Robat* (1958), *Primera representació* (1959) i *Una drecera* (1960), i amb la seva participació en la fundació i subseqüents activitats de l'Agrupació Dramàtica de Barcelona. Mentrestant, casat en segones núpcies, viu malament de col·laboracions literàries en castellà a "Destino" (amb el pseudònim Jonás) –revista que abandona tan bon punt pot ocupar la direcció de l'editorial Alcides, de Puig Quintana–, de traduccions i de feines editorials. I és justament a l'editorial Montaner y Simón, on treballa en la confecció d'un diccionari de literatura, que entra en contacte amb un grup d'estudiants i joves llicenciats estretament vinculats a la represa del moviment antifranquista a la universitat. Aquests troben en ell una mena de figura patriarcal, un prestigi que poden respectar i admirar i usar com a símbol i bandera. Ell, per la seva banda, en surt rejovenit i altre cop esperançat, i la seva obra ho reflecteix immediatament. A *Vacances pagades* (1960) recupera, juntament amb les tècniques, l'engatjament i l'agressivitat crítica de l'*Oda a Barcelona* (1936) coses que ja no tornarà a perdre mai. Durant la dècada següent, alhora que els seus joves admiradors l'inciten a recollir en volum tota la seva obra anterior, poètica (*Obra poè-*

tica [1963]) i narrativa (*Biografia de Lot i altres proses* [1963]), esdevé participant habitual a tots els actes politico-culturals tan típics de la resistència antifranquista durant aquest període –lectures poètiques, homenatges, col·loquis, cartes de protesta, tancades col·lectives i també estades al calabós i multes... A partir de 1962 la seva situació econòmica millora amb el seu ingrés a l'editorial Aymà-Proa com a director literari, i "Serra d'Or" li forneix una tribuna pública, la secció fixa *Tros de paper,* els articles de la qual aplegarà en volum en 1969. El 1970 li és concedit el Premi d'Honor de les Lletres Catalanes. Malgrat els anys continuà escrivint poesia *(Circumstàncies* [1968], *Quatre mil mots* [1977], *Poesia empírica* [1981], sense perdre la seva juvenil rebel·lia i fidel sempre a la seva ideologia nacionalista d'esquerra, fins a la seva mort.

Pere Quart és un dels cinc poetes catalans més importants del segle XX i la seva poesia és probablement la més original de totes. Els seus dos primers llibres són essencialment humorístics, d'un conceptisme juganer –i, com a tals, resulten sovint dignes de la millor poesia barroca de la mateixa corda–, però revelen ja, sobretot el primer, les constants estètiques i ideològiques de tota la seva obra: rebuig de l'hermetisme essencial a tota la tradició simbolista, intenció moralitzadora, racionalisme escèptic, humanisme, iconoclàstia, consciència històrica. La forma hi és rigorosa, amb moments de virtuosisme versificador, especialment en el maneig de metres tradicionals, moments que més endavant esdevindran menys freqüents, però als quals sempre retornarà de tant en tant. Finalment, Pere Quart hi aconsegueix ja el dificilíssim objectiu, que perfeccionarà encara més a partir de l'*Oda a Barcelona,* de combinar en la seva llengua la més primmirada correcció fabriana amb una gran naturalitat, de fer que el català literari creat pels noucentistes deixi de sonar artificiós, encarcarat i pedant, la qual cosa assoleix sobretot a base d'inserir la puresa lèxica i morfològica en una estructura sintàctica sempre molt pròxima a la conversacional. L'*Oda a Barcelona* explota més a fons aquesta tècnica, tot confirmant d'una manera inequívoca l'engatjament polític del poeta, nacionalista i revolucionari. És també la primera mostra d'una poesia completament nova en català: directa, realista, sovint deliberadament prosaica, en la qual ritme i imatge són usats estrictament com a recursos expressius i no com a nucli essencial de la poesia, segons la tradició simbolista.

Per les raons al·ludides més amunt, *Saló de tardor* (1947), escrit i publicat a Xile, marca no un retorn a aquesta tradició mateixa exactament, però sí un cert acomodament als "grans estils misteriosos", per dir-ho com Joan Oliver. Correlativament, el to hi és, en general, greu, reflexiu i elegíac, i els temes dominants són l'exili, l'enyor, la soledat, la mort, el dolor. Les mateixes característiques perduren a *Terra de naufragis*, llibre potser encara més pessimista i desorientat, perquè hi manca pràcticament la nota de resistència esperançada que, malgrat tot, recorria per sota *Saló de tardor* i que, sens dubte necessitat vital de l'exili, no havia pogut sobreviure al xoc amb la realitat de la Barcelona de 1950. Amb tot, *Terra de naufragis* conté ja uns quants poemes, sis o set, que indiquen una nova direcció que, en bona part, no és més que la represa del camí iniciat amb l'*Oda a Barcelona* i que ara desemboca en la magnífica poesia de *Vacances pagades*. Abandonant altre cop tots els recursos de la tradició simbolista en favor d'un prosaisme deliberat, el poeta sosté, amb l'anònim amic lector o amb ell mateix, en forma de poemes en general força llargs, una sèrie de converses informals en el curs de les quals s'esplaia a cor què vols, diu tot allò que no es pot dir en públic –ni en prosa– en mot de Joan Oliver, "durruteja" contra els poders, l'opressió i les grans mentides, d'ara i de sempre. El llenguatge és col·loquial i viu, però sempre impecablement fabrià; el vers, purament funcional, serveix per a marcar les inflexions de veu del monòleg. La gravetat i l'amargor han deixat pas a un sarcasme àcid i corrosiu, sota el qual brilla, petit però clar, un llumet d'esperança que neix de la solidaritat amb aquells que –el poeta sospita– també "durrutegen" per compte propi i que, evidentment, els seus versos inviten a "durrutejar" en companyia. *Circumstàncies* no fa més que prolongar aquesta línia –simplement la veu és més forta i més explícita. Amb *Quatre mil mots* té lloc un cert canvi en la poesia de Pere Quart, la qual, sense sortir-se del camí marcat per *Vacances pagades*, es fa més dispèptica i esdevé una mica sentenciosa. Més que un "durruti", el poeta, sens dubte deprimit per l'extraordinària resistència final del franquisme i la impotència col·lectiva a liquidar-lo de debò, hi sembla un moralista malhumorat i intolerant. Però en el seu darrer llibre Pere Quart torna a "durrutejar" i també, desmentint l'amenaça, feta en el seu llibre anterior, de no escriure més poesia humorística, ens obsequiava amb tota una sèrie de magnífics poemes jocosos i satírics en els quals tornava a lluir la seva vella mestria versificadora i conceptista. Va morir el 18 de juny de 1986 a Barcelona.

JOAN-LLUÍS MARFANY

NOTA SOBRE L'EDICIÓ

He estructurat aquesta antologia sobre la base dels diversos llibres de Pere Quart, ordenats cronològicament. Tots hi estan representats, uns amb més generositat que d'altres, amb l'excepció de *Dotze aiguaforts de Josep Granyer* (Edicions de la Rosa Vera, 1962). He inclòs també dos poemes que no pertanyen pròpiament a cap llibre, "Jocs Florals" i "Silenci personal", publicats per primer cop a *Obra poètica de Pere Quart* (Editorial Fontanella, 1963) i "Ària del diumenge", aparegut inicialment al volum miscel·lani *España hoy* (París, Ruedo Ibérico, 1963), els dos darrers incorporats més tard a la segona edició de *Vacances pagades,* però sense formar part del llibre com a tal. Els textos reproduïts són sempre els de la darrera edició de cada llibre, que en força casos vol dir l'edició dins el volum *Obra poètica* [Joan Oliver, *Obres completes.* I] (Aymà 1975). En aquests casos, però, he compulsat el text amb el de l'edició immediatament anterior. D'altra banda, el mateix poeta ha revisat els seus versos i n'ha esmenat molts, de manera que les versions aquí publicades han de ser considerades, ara com ara, com a les definitives. En seleccionar els poemes, un cop assegurada la presència de tots els llibres (amb l'excepció ja esmentada) i la representació de tots els registres i tots els temes favorits de l'autor, he atès simplement la meva preferència personal. Val a dir que entre aquesta, d'una banda, i el desig de representativitat, de l'altra, el conflicte ha estat mínim.

Cal fer constar, finalment, que per a la present edició m'ha estat impossible d'incloure els poemes que a continuació s'indiquen i que també formen part de la meva selecció. Són: el poema XXV de *Les Decapitacions;* "Camell i dromedari" i "Ostra" de *Bestiari;* "Infinita fortuna de la sang", "La intrusa", "Idil·li" i "Fragments d'un retaule" de *Saló de tardor*;

"Racconto" i "Infern de polígam" de *Terra de naufragis*; "Joc", "Lai", "L'amor de l'home" i "Savis, poetes..." de *Vacances pagades*; "Prehistòria" de *Circumstàncies*; "Covards", "Suïcida", "Jo o ningú" i "Declaració jurada" de *Quatre mil mots*; i "No goso" i "No vol dir-ne més" de *Poesia empírica*. Per a substituir-los he inclòs d'altres poemes que no havia estat la meva intenció primera de seleccionar i que són: el poema XX de *Les Decapitacions*; "Pingüí" de *Bestiari*; "Complanta de la primavera" de *Saló de tardor*; "Espero, sospito, temo, voldria" de *Vacances pagades*; "Temps de diàleg" de *Circumstàncies*; "Banyes al seny" i "Laia i les ànimes" de *Quatre mil mots*; "Tot esperant" i "Edat antiga II" de *Poesia empírica*; i "Silenci personal".

J.-L.M.

POEMES
ESCOLLITS

LES DECAPITACIONS

A Rebeca Weisser, usurera

Prenez-la, ne la prenez pas.
Si vous la prenez, c'est bien faict.
Si ne la prenez, en effect,
Ce sera oeuvré par compas.

RABELAIS

On peut être bonnête homme et faire mal des vers.

MOLIÈRE

Primera edició: Sabadell, Ed. Contraban, 1934.

I

Sobre el pecho almidonado
la cabeza.

GARCÍA LORCA

Estels inútils, inútil campana!

Temps mutilat. Negra nit
coratjosa, cendrosa, oliosa, porosa.
Ja en ton falutx de la vela invisible
–funàmbul d'horitzons onejats–
vogues, vagues, divagues
ran l'abís encoixinat
de flames i gebre,
infern de fred dins ulls closos!

Tu, amb el cap a la mà, caminaves
vers el cim, com un àngel monstruós
aureolat amb pols de tenebra
entre els dies soferts i les nits memorables
per l'amor, la mollesa o el somni.

Tu, amb el cap a la mà, t'escondies
rera els crims d'altres mans sense tara,
generoses del mal, amb carícies horrendes
d'ungles còncaves, roents, farcides
de negror tan antiga
com el llot a grumolls de l'Edèn.

Tu, amb el cap a la mà, no sabies
aquell urc aplomat de Benito
en dreçar-se complet, la pitrera gonflada

sota el cap ben posat,
la corona –robins i maragdes–
de bronze vital. La corona
d'un imperi de bambes camises.

Tu, amb el cap a la mà, ets una ombra maligna
o l'engany de la nit basardosa.
La deixalla d'un dany secular. El terrible memento
d'un gest sobirà que sabia abolir
la pròpia vergonya.

Estels inútils, inútil campana,
llunyà falutx de la vela invisible!

Ning, naing!

IV

Triste objet où des dieux triomphe la colère,
et qui méconnoitroit l'oeil même de son père.

RACINE

Ací só. Tots m'anomenen
l'Escapçat de can Medir.
Si adés era famós lladre
ho só avui tant com ahir.
Calo foc a les pallisses,
traginers m'escau d'occir
i saquejo les capelles,
que això encara és més roí.
I quan, las i sol, arribo
al meu bosc sense camí,
deixo el cap sobre una pedra,
car no tinc altre coixí.
Els estels van apagant-se
mentre neix el verd del pi,
i aleshores se'm presenta
la visió que us vull dir.
Ja davalla l'Àngel negre
tot clamant: –Ve-te'm ací!
Se m'acara i amb veu fosca
sol parlar-me sempre així:
–Tots els homes t'anomenen
l'Escapçat de can Medir.
Déu et féu a imatge seva
i ara ets com un bot de vi.
T'he fet lladre, t'he fet lladre,
t'he fet lladre i assassí,
el terror de la contrada
que a tots dóna mal dormir.
En dos trossos, en dos trossos,
el teu ésser vaig partir.
Ja no ets home i en ta vida
no ho podràs esdevenir.
Després calla, i rera un ala
el seu cap vol escondir
per estrafer la parença
que em donà el cop del botxí.
Aleshores semblants coses
acostuma d'afegir:
–Demà escanyaràs un frare,

aquell que de bon matí
sol anar a la Font del Roure
d'amagat a beure vi.
Escomet-lo a la impensada,
que no es pugui penedir
de la seva malifeta
amb la dona del veí.
Quan el vegis sense vida
pren-lo i penja'l dalt d'un pi
per exemple i vilipendi
de la gent del Monestir.

Vull plorar, però no ploro
car els ulls són lluny de mi;
vull parlar, mes no tinc llengua,
vull, què vull sinó morir?
Mon esguard des de la testa
em recorda el meu destí.
Per tants crims no sóc un home
a la plaça de Robí.
Per tants crims no só un home
i el diable em cal servir
amb mon cap sota l'aixella,
tristament, fins a la fi.

VI

Dime, cabeza, ¿qué haré yo para ser muy hermosa?
Y fuéle respondido: —Sé muy honesta.

CERVANTES

Amonestaments de la testa
parlant a les fadrines

Per a tu sola,
barcelonina,
hom s'esbocina
com guardiola
de consells savis,
àuries monedes
que de mos llavis
–si no m'ho vedes–
ixen a raig
i sense empatx.

Si la veïna
té més que tu
–tumbaga fina,
penjoll que lluu–
emprèn i digues
a ses amigues:
–No sap ningú
d'on treu les misses.
I així els aquisses.

No et desesperis
si el promès fuig.
Més val que adveris
que era un rebuig.
Llavors l'enuig
tos jorns no agreja,
puix que l'enveja
sense galant,
no et fibla tant.

Si et cal de pressa
heure marit
i no et fa peça
gras ni neulit
i el vols cepat

i si pot ésser
ben hisendat,
pren ma lliçó
i enfila agulla
per la casulla
del sant Patró.

Amb sort pel mig
qui no primmira
la fita albira
de son desig.
La que sospira
perquè no abraça
avui de caça
ixi ben prest
–llavi modest
i l'ull no massa–
i potser amb traça
i abans, qui sap?,
que el sol no mori
caci casori
i foti un nyap.

XII

Flecta'ls genolls y prega
com fill devant lo cap
del pros Josep Moragas,
lo nostre general.

GUIMERÀ

Mort esclava!
Ocell engabiat
en gàbia secular. Ocell nostrat,
orb, eixalat,
vermell de sang i de vergonya.

No serem pas relapses!
L'atàvic escarment
ens servarà tostemps.

Ocell refet, canta, cínic, avui,
la llibertat decapitada.

XIV

Erat enim adolescens, rufus et pulcher aspectu.

IS., 17, 42.

E parmi che la Fe vada mancando.

ANTONIO DA FERRARA

David, frèvol minyó que no s'adona
de la seva absoluta inanitat,
s'acara amb un gegant armat i cuirassat,
només amb una fona.

Creguem-ho? Va! Potser és veritat.

Branda la fona i comença el combat.
El còdol brunz i colpeix l'adversari
al mig del font sumari:
sobtadament l'abat.

Creguem-ho? Va! Potser és veritat.

David vers el jagut es precipita
–botxí *amateur* i mal soldat–
i amb l'espasa enemiga decapita
Goliat, Goliat!

Creguem-ho? Va! Potser és veritat.

David, jove pastor, bell a la vista,
esdevé rei i poeta i arpista
i en tot aconsegueix suprema qualitat.

Creguem-ho? Va! Potser és veritat.

XVI

Quoe cum exisset, dixit matri suae:
Quid petam?
MC., 6, 24.

Ha dansat com la novícia
d'un concert del Paral·lel,
obscena sense malícia
i nua com un estel;
el premi és una carícia
i una llesca de pa amb mel.

(Sa mare inquieta l'acotxa,
cobejosa de tec i de cotxe.)

Quan mira l'horrenda testa
damunt plàtera d'argent,
del color de la ginesta
esdevé sobtadament.
L'han de treure de la festa
perquè es troba malament.

(Sa mare, inquieta, l'allita;
no fos cas que hi petés, la petita!)

XVII

Perros crueles, que non me arrepiento
llamándovos perros en forma de humanos.

RETABLO DE LA VIDA DE CHRISTO

Avia per telèfon una rialla trista
    de pur estil marxista.

Bloch l'anomenen els estranys: jo, Sara.
    Qui no la desempara?

Per segar roses la destral us cal,
    Adolf, brètol total?

Volava el cap de ma companya
pel cel dels crematoris d'Alemanya.

XX

Un médico y bienhechor francés
llamado Guillotin (véase) fue el inventor
de tal artefacto.

DE L'"ENCICLOPEDIA ESPASA"

Pobrissó, què et resta?
Alzina't vers la llum i mira rera teu:
amaràs la teva ombra sempre pulcra,
íntegra, inviolada com una negra neu.
Ombra única del tors i de la testa.

La sorra de tes hores, encara
prou gruixuda, no s'arremolina.
Però comença a davallar la lluna
minvant, pausada guillotina.

Dolç i sobtat traspàs!
–hom diu: –I el que t'espera
–hom diu– no és pas
la mort, la mort darrera.
–Vols confessió? ¿O quin pòstum anhel
(timbes, tombes) exposes?
–Tombes i timbes...
–Com?
–Espero dues coses,
però m'adono que no tenen nom
sinó en el vostre cel.

Ai, que el paper de vidre!
Ai, ai, que el lubricant!

Ombra de neu, cistella, roses.
Guillotina llampant,
així te les haguessis d'haver amb l'hidra!

XXII

Le bon Dieu me dit: chante,
chante, pauvre petit.

BÉRANGER

Jo em decapitaré.
Ells són bons, però no es decapitaran.
El germà dels oncles és botxí.
El botxí és bo, però els gats
seuen prop de la tia del meu pare.
D'un botxí, a un espia,
per una cistella,
amb llur destral.
Els caps, el seu cap, contra el meu cap.
Quan et decapites?
Així que hi hagi dues festes,
però el dilluns el teu nebot
cantarà missa.
Ensenyeu (vós) el cap al jutge.
Tens una guillotina de segona mà?
No, però tinc terres
a l'Havana.
Les destrals dels avars.
Les gavinetes de les cuineres.
Rera el cadafal, sobre els cadafals,
sota el negre cadafal.
Quina edat té el condemnat?
Ai, l'edat de la pedra polida,
i no m'inquietis!
Ésací on escapcen els reis?
No, ací no és on escapcen el reis.
El meu germanastre és
monjo, emperador, asiàtic,
valent, auriga, obsolet,
invicte, dibuixat, falb,
camacurt, trifàsic, orellut, salmonat,
culcaigut. He dit.

XXIII

Devant tout événement triste qu'on n'eût pu prévoir autrefois, la disgrâce ou la ruine d'un de nos vieux amis, quelque calamité publique, une épidémie, une guerre, une révolution, ma mère me disait que peut-être valait-il mieux que grand'mère n'eût rien vu de tout cela, que cela lui eût fait trop de peine, que peut-être elle n'eût pu le supporter.

PROUST

Llur cap ha rodolat rodoladís
espectre de tres bones paraules
i tot conviu amb escaparates de molsa
com si diguéssim i encara hi ha les naus
esposes vils innates de crom
tisores i tovalles collides al sol de les hores
amb ells comèdia juguem amb ells
i amb elles contra el mur encetat
que podries violar en tardes de cinema
acústic noies abeurades en zotal
i lúbriques carrosses de mala jeia
i l'arròs a la tortugada macròbic
doble del fòrum miserable
amb els pols nord sud constel·lacions
sense camí ni camisa tendra sentiu
i feu juguesques de cadmi
poderosos del mar incitants curosos
amb aromes i tàlems feixucs
entenguem-nos i plantem plantes
a les ribes dels jaços tururut
com Peric cosmos del riu que branda
muntanya amunt en arrencada i agullonament
de vespres contra el fanal ortofònic sense llebes
i mossos bròfecs intonsos de suspensió
de calamarsejar dintre els dintres
del pla de la balma sermonejada
de faves montserratines i llúpols minotaures
pelats i ruïnosos èlitres dels tubs
visibles del braç i gastament (coma)
lluny de nós vident i esclafada divulsió
i consciència vine amb o sense escuradents
on sóc i els altres
com perdre la pau dels verms els crims
hivernals comtes meus lliures sants
i comptes vius beure tron i brosta
que remuga la bòfia la bòfia

matem encara en tots els buits fosos
vents Quimes hòsties i bullidores cases
de quisca obriu i balleu col·loquis
infames vidres borses sapastres obriu
obriu que volem entrar.

ODA A BARCELONA

Primera edició: Barcelona, Comissariat de Propaganda, 1936.
Amb una il·lustració de Joan Junyer.

Milers de finestres i cors
t'esguarden com bulls i et regires.

La nit s'atarda.

Els coixins esventrats de la memòria,
la flama del teu somni,
la sang nova del crim,
la infàmia morta, el clam i la barreja!

Barcelona!
Barcelona, ferida i eixalada.
Repiquen les campanes soterrades,
volen les creus,
ocells d'incert auguri.
Els murs suporten voltes invisibles,
fumeres, panys de cel,
roba blanca de núvols.

D'aquí estant, Barcelona,
el tumult és ordre.
L'or pàl·lid ni respira.

Bressen els asfaltats
deliris de les rodes inflades de tempesta,
veles terreres i envilides.

Barcelona,
els teus fills no t'acaben d'entendre,
bruixa frenètica,
matalàs d'esperes.

Escabellada, ronca,
perds la vergonya i la senyera,
però et guanyes la vida,
entre la mort i la follia.

Danses encara
i et pentines un xic amb les estelles
i maquilles tes nafres amb pólvores i cendres.
Però fills teus et deserten,
els que aviciares massa,
enguantats, clenxinats,
patriotes ha ha!
No et reconeixen sense el teu posat
de monja llamenca.
Et maleeixen
quan ja no ets polida, oficiosa,
inscrita en el joc brut de la riquesa
dels favorits i les bagasses.

Barcelona, cantes
una cançó maligna que ens eixorda.
Despertes els altres que ja arriben,
davallen, s'apleguen;
després pugen
com un torrent contracorrent,
Rambla amunt,
Passeig de Gràcia amunt.
Xiulen, flastomen, s'empentegen,
ullen estades senyorials,
persianes porugues, barrots tremoladissos,
portes que es clouen subrepticiament.
Riuen els homes del carrer
i es destrien en escamots
que esfondren reixes,
comminen ascensors perquè s'afanyin,
invaliden panys dobles;
amb una escopinada
encegen els senyals d'alarma.
Els passadissos, llagoters, s'escurcen,
però les sales-rebedor malreben
i les catifes comuniquen
tímides queixes a les espardenyes.
Els balcons s'esbatanen
i entren alenades goludes de carrer,
sang, bruel, pols,
llambordes dreçades a cops d'ungla furiosa.

Fueteja el serpent,
fibla la llum el llarg llampec vermell:
"Estatge incautat per les Joventuts Revolucionàries".

Barcelona,
rumbeges el barri aristocràtic
amb roba proletària.
Somriu amb urc, amb impaciència
la gent nova i jove.
Ai ton capritx fill de l'antiga enveja,
que finalment caldrà que ofeguis!
Sofrí tant!
I no pas fam o nuesa:
l'exaltació xarona del privilegi.
La vanitat erecta.
L'atzar estult.
L'oprobi de la beutat antiga.
La pau de l'ànima
bescanviada per monedes i voluntat esclava.
El treball prostituint-se
en les cambres secretes del negoci,
enllefiscant-se
en les llacors del luxe.

Els crisantems, les clavellines
de les floristes mamelludes
tenen set i migranya.
Les roses, ai! les roses
enyoren el marcir-se
en aires capitosos.
La Venus de Clarà, a la gatzoneta,
no ha perdut ni un cabell,
mes té una piga tendra a l'anca esquerra.
Els coloms volen i peonen
com espectres preciosos
d'un àngel mort,
dels temps que tristament plovia lluna,
i alzinetes d'argent i baladres nafrats
protegien besars i mans nuades
per pactes de desig i jovenesa extrema.

Tanmateix, Barcelona,
la mar no et deixa i et gombolda.
Allitaràs tos sofriments
en faldes suaus i tombes provisòries
on operen amb punya

les forces dures de la renaixença.
Al cap d'anyades
t'arribarà l'eco:
sospirs, gemecs, renecs, esclats,
sanglots, udols, xiscles, esclats!
I ja tindràs l'himne triomfal
sota la bandera de la quàdruple flama.

Barcelona:
pairal ciutat de Catalunya,
de València i les Illes.
Les comarques
gerdes, eixutes, alteroses, planes.
Màquines i collites.
Tiges en estol,
bestiar i aigües submisos.

Barcelona,
esdevindràs, si vols, la capital altiva
d'una pàtria novella de rels velles,
quasi feliç, penosament fecunda.
Mestressa sobirana,
sola en ton clos obert com una rosa
dels vents, als vents de mar, de terra!

Barcelona, contempla't.
Barcelona, no cantis.
Ausculta aquest cor teu que s'escarrassa a batre.
No et deturis. Plora una mica cada dia,
quan la Terra comença
un altre tomb, ullcluca.
A poc a poc, no et distraguessis
amb les fulles que el vent requisa als arbres.
Ni amb el presagi de les ales noves.

Treballa. Calla.

Malfia't de la història.
Somnia-la i refés-la.

Vigila el mar, vigila les muntanyes.
Pensa en el fill que duus a les entranyes.

BESTIARI

Al Camús, el meu estimat gos

Les composicions d'aquest petit llibre —mostra de poesia epigramàtica aplicada en fred sobre diverses bèsties i un vegetal— han estat escrites sota el signe d'una inconfessable frivolitat. Si l'autor pretengués de fer-se perdonar invocaria el precedent del seu col·lega Homer, que ha gosat versificar amb insidiosa fantasia a propòsit de déus i semidéus.

Primera edició: Barcelona, Departament de Cultura de la Generalitat de Catalunya, 1937. Amb il·lustracions de Xavier Nogués. Premi Joaquim Folguera 1936.

ASE

No capten tes orelles
el reny injust,
l'ordre abusiva.

Meselles han
esdevingut tes anques
de tantes vergassades
gratuïtes.

Practiques la doctrina
de l'esforç mínim.
Només el deure estricte!
No ets servil com el gos,
ni complaent com el cavall.

Ni ensuperbit esclau
com l'home que et fustiga.

BOU

Ah, si fos poeta! Cada solc ensems
vers esdevindria i cada llaurada
poema bucòlic de tàvecs i fems
i gestes heroiques de gent embanyada:
vides fatigoses, coratges extrems
i drames d'estable de banya doblada.

VACA SUÏSSA

Quan jo m'embranco en una causa justa
com En Tell sóc adusta i arrogant:
prou, s'ha acabat! Aneu al botavant
vós i galleda i tamboret de fusta!

La meva sang no peix la noia flaca
ni s'amistança amb el cafè pudent.
Vós no sou qui per grapejar una vaca,
ni un àngel que baixés expressament.

¿I no sabeu que l'amo, un modernista,
em volia succionar els mugrons
amb un giny infernal, cosa mai vista,
que em deixaria eixuta en pocs segons?

Encara us resta la indefensa cabra,
que sempre ha tingut ànima d'esclau.
A mi no em muny ni qui s'acosti amb sabre!
Tinc banyes i escometo com un brau.

Doncs, sapigueu que he pres el determini,
l'he bramulat per comes i fondals,
i no espereu que me'n desencamini
la llepolia d'un manat d'alfals.

Car jo mateixa, si no fos tan llega,
en lletra clara contaria el fet.
Temps era temps hi hagué una vaca cega:
jo sóc la vaca de la mala llet!

ELEFANT

De la trompa grisa
canons acerats,
de les quatre potes
de temple pilars,
popular bandera
de l'orella gran,
de la pell gruixuda
galtes d'advocat,
dels ullals de vori
torres de pedant.

PINGÜÍ

Amant de la mullena,
amb gregarisme rar,
com nosaltres emplena
les ribes de la mar.

Conserva tanmateix
el decòrum que ens manca
i neda com un peix
amb fràc i armilla blanca.

SALÓ DE TARDOR

A Conxita Riera, la meva muller

Praeter cetera me Romaene poemata censes
scribere posse inter tot curas totque labores?

Primera edició: Santiago de Xile, El Pi de les Tres Branques, 1947. Amb il·lustracions de Roser Bru.

Segona edició variada: dins *Poesia de Pere Quart*, Barcelona, Aymà (Col·lecció Literària Aymà, 11), 1949 [sota el títol *Altres poemes 1936-47*].

NADAL SENSE TU

Nadal sense tu.
Respirava la falsa tristesa dels cants i la dansa,
i en la càlida nit invertida
cercava l'estel de ningú,
car aqueix fóra el meu. L'enyorança
només, tota sola, com una mentida
d'amor, era meva!
Quin estiu més cru!
Quina gèlida neu que no neva!

Soledat hostil!
Soledat, dolça amiga d'antigues estones,
ara em puny el teu aire senil
i aquesta mirada secreta que em dónes,
tot dient-me: –Seré ton asil
com llavors que amb la mòbil peresa
i l'angèlic orgull i el misteri viril,
pel jardí calorós de la greu jovenesa,
componies en mi ton estil.

Adéu, soledat!
Sigues l'ombra marcida dels sants i dels savis!
Car al míser Adam, l'endemà del pecat,
ja li calen, contigus, uns llavis
per al cant amorós, per al reny assuaujat,
per al crit que l'empeny a l'esquiva fortuna.
Per al bes, per al bes de foc humitejat,
potser en nits de Nadal, a l'hivern o a l'estiu
–com la meva– i amb lluna!

1948

CANÇÓ EXPLÍCITA

Tant el llibre com la rosa,
tant la lluna com el sol.
Les albades amb alosa
o les nits amb rossinyol.
Tant l'amada, que no gosa,
com l'amant, que tot ho vol.
Tant la casa com la llosa
per' tu sol...

Vindrà temps que et farà nosa
o et serà de poc consol
qualsevol, qualsevol cosa,
qualsevol.

SANT JORDI D'AMÈRICA

A peu –perdé el cavall en la contesa–,
abonyegada l'armadura, oscada
l'espasa nua, i esmussada
(estreny dintre la mà roses marcides
del jardí devastat de la princesa),
temps ha camina vers l'exili.

Tramuntà el Pirineu, prengué navili
i una altra fou enmig de tantes vides
errants i penitents.

L'ira sagrada
nodreix son cor august, perenne brasa
de l'amor amb què els sants de Déu odien
la Força del Pecat cada vegada
que sa victòria transitòria arrasa
torres de pau, arbres tofuts on nien
innocència, beutat i confiança.

I ara per terres d'Ultramar divaga,
encontra fills que antany el precediren,
desencís endolcit per l'enyorança,
ulls que se'l miren i el remiren
per si no és ell mateix, sense tumbaga.
(L'adinerà per alleujar de pressa
fams extremes, el fred i la malura,
presents del cel a qui en exili ingressa.)

Algú li diu: "On vas com un captaire?
Què has fet d'aquell poder que no té fites?
Ni tu, que ho ets, ja no tens fe en els mites?
Els catalans, t'han enganyat de gaire?"
I ell pensa: "Sí, la lliçó és dura".

Però calla, que un sant sempre és benigne.
Desert enllà, la terra pura
on Déu parla sovint amb veus d'oratge,
a poc a poc el Cavaller s'allunya...

En soledat restaura el seu coratge.
S'alzina. I es persigna.
I quan s'obre de braços és el signe
de la creu on s'atarda Catalunya.

COMPLANTA DE LA PRIMAVERA

Renaixement de tota mala cosa,
jardí de Catalunya sense senyals de rosa,
abril avergonyit.
Oh falsa i miserable primavera
on solament prospera
el corc. I el llot. I la terrible nit
de qui la llum ha esdevingut esclava;
el llimac llefiscós de mala bava
i el verinós i sadollat gripau.

Ai, dolorosa pau
d'aquest abril verd cendra!
El doll amarg del plor
marceix la fulla tendra
i la poncella de la flor.

Els pins sense creixent llangueixen a la riba
del lliure mar per on arriba
el missatge secret
dels tristos bandejats a qui sustenta
l'engany amorosíssim de l'enyor,
miratge d'un abril sempre refet
en roses, en banderes i en honor.

Qui no se n'acontenta?
Si el somni és bell, immarcescible i pur!
I els somnis a vegades traeixen el futur.

CATALUNYA

Sola, malalta, esparracada, muda,
un altre cop, encara jove, esclava.
La volta de ton cel, com sempre blava,
sostre de tes presons esdevinguda.

Ara et retreu ton somni de vençuda
que no vas ésser, com et pertocava,
escometent tos enemics prou brava,
emparant ton honor gaire tossuda.

Neta et veuràs de tos pecats un dia
per tanta sang i tanta llunyania,
per la vergonya i per l'enyor dels teus.

Com saba pacient sota l'escorça,
més pura revindrà l'antiga força
quan es desvetlli d'amagat dels déus.

Roissy-en Brie, 1939

CORRANDES D'EXILI

Una nit de lluna plena
tramuntàrem la carena
lentament, sense dir re...
Si la lluna feia el ple
també el féu la nostra pena.

L'estimada m'acompanya
de pell bruna i aire greu
(com una Mare de Déu
que han trobat a la muntanya).

Perquè ens perdoni la guerra,
que l'ensagna, que l'esguerra,
abans de passar la ratlla,
m'ajec i beso la terra
i l'acarono amb l'espatlla.

A Catalunya deixí
el dia de ma partida
mitja vida condormida;
l'altra meitat vingué amb mi
per no deixar-me sens vida.

Avui en terres de França
i demà més lluny potser,
no em moriré d'enyorança
ans d'enyorança viuré.

En ma terra del Vallès
tres turons fan una serra,
quatre pins un bosc espès,
cinc quarteres massa terra.
"Com el Vallès no hi ha res".

Que els pins cenyeixin la cala,
l'ermita dalt del pujol;
i a la platja un tenderol
que bategui com una ala.

Una esperança desfeta,
una recança infinita.
I una pàtria tan petita
que la somio completa.

VOLUPTAT DE L'ENYOR

Tenacíssima, càndida enyorança,
fillola del desig i la recança,
trista amorosa de l'amor que es frisa,
crida els estels, besa la brisa!

Puresa del record extenuant-se
en el miratge d'una pàtria grisa,
feta del somni que matisa
el roig, el blau i el blanc de França.

L'àngel t'inspira i et manté el diable,
oh febre miserable
d'un dolorós i delitós amor,

tan prenedor, que un dia, per ventura
honor refet i llar segura,
enyoraré l'enyor.

Roissy-en Brie, 1939

L'ÀNGEL

¿Quina pàl·lida dona em fa signes prudents
de conhort i amistat des del fons del refugi?
Sembla un àngel covard, indecís, que defugi
els esclats de la llum i la força dels vents.

Ja és un eco només la cridòria de folls
que emplenava la vall i la mar sense fita;
i espargida en el temps, que es refà dels trontolls,
hi ha la cendra rogent d'una mort infinita.

Ve la nit que ocultà sols a mitges el crim
i ara bleixa amb fatic, envellit el silenci,
en el son de qui tem que demà recomenci
l'avesat holocaust, el carnatge sublim.

¿Reprendrà cada llac l'enyorada dolçor
dels besars sospirants que avicien la riba,
i l'afrau, que rendí sos secrets a la por,
viurà encar, com antany, del misteri captiva?

¿Què em dirà tristament aquest àngel malalt
amb els mots consuets d'una fe clivellada,
sota l'alba en retard, que oblidà la rosada
i traeix les llangors d'un capvespre mortal?

Santiago de Xile, 1945

EPÍLEG

Sotraga la memòria de mes venes
un costum que cessà i un gest antic:
el dibuix fatigat del vers que escric
és un missatge que desxifro a penes.

Devorant l'ombra d'un mirall mesquí,
finestra deslleial, servil pintura,
quin país a destemps, quina figura
d'un déu mortal que no sabé morir!

La font nocturna on el camí s'atura
com un secret mormola mon destí.

TERRA DE NAUFRAGIS

Poso els meus miserables versos
sota l'advocació de

Joaquim Folguera
Joan Salvat-Papasseit
Bartomeu Rosselló-Pòrcel
Màrius Torres

per sempre joves
alats i sagrats ja del tot

Primera edició: Barcelona, Josep Pedreira (Els Llibres de l'Óssa Menor, 28), 1956. Pròleg de Joan Teixidor. Amb una caricatura de l'autor per Josep Granyer.
Premi Óssa Menor 1955.

EL GUANY

Res no ha perdut,
que res no posseïa
qui arribava invàlid i nu.

Però ha guanyat a poc a poc, de pressa,
rovell d'enyors, peresa acovardida
i una mesura rasa d'incerteses
on cerca brins la desmenjada fe.

ALÇARÉ EL CRIT

Aquell temps abundós
ha passat a altres mans;
el desig i la sang
s'afanyaven per mi.

Ara l'any és estret,
tot s'allunya entorn meu.
Bullen remotament
les ciutats sense mi.

No em preguntis on vaig,
que no m'alço ni em moc.
Tanco els ulls i la llum
no s'adona de mi.

Els records, ¿són feixucs
o lleugers? Tant se val.
Hi ha una veu pels camins
que s'aparten de mi.

No he dit mai a ningú
el meu nom i el meu mal.
Els diré quan la mort
s'enamori de mi.

Si em retrob i em conec
a la nova claror,
provarà d'alçar el crit
ço que resti de mi.

NOÈ

Noè mira, poruc, per l'ull de bou.
L'aiguat no amaina.
Ja es nega el pic més alt de la muntanya.
No es veu ni un bri de verd,
ni un pam de terra.

Senyor, per què no atures aquest xàfec?
Minva el gra i el farratge
i les bèsties es migren a les fosques;
totes —te'n faig aposta—
deuen pensar el mateix:
I mentrestant els peixos se la campen!
Jo tampoc no m'explico el privilegi.

Ja no donem abast tapant goteres;
i en dos indrets de la bodega
la fusta m'ha traït: traspua
a despit del betum.

Fa trenta dies que plou massa!

Noè cercava el cel per la lluerna
i veia la cortina espessa de la pluja.

La família, ho saps prou, no se'n fa càrrec.
Els fills em planten cara, rabiosos,
les nores xafardegen i no sirguen,
els infants, sense sol, s'emmusteeixen.
I la dona, ui la dona!,
em fon, de pensament, amb la mirada.

Tanta humitat no em prova:
garratibat de reuma,
què valc, Senyor?
I, a més, el temps pesa qui-sap-lo:
ja en tinc sis-cents de repicats!

Prou mullader, Jahvè, repensa't!
Que el bastiment, de nyigui-nyogui,
poc mariner, sortí d'una drassana
galdosa, a fe!
i el costellam grinyola, es desajusta.

No m'ennaveguis més, estronca
les deus de la justícia
i engega el sol de la misericòrdia!
Ja fóra hora d'estendre la bugada!

Ben cert que ets Tu qui fa i desfà les coses;
i per amor de tu suportaré el que calgui.
Només volia dir-te
—i sé per què t'ho dic—
que aquest país no és per a tanta pluja,
i el llot no adoba res:
cria mosquits i lleva febres.
Caldrà refer els conreus i escarrassar-se.
Som quatre gats malavinguts
i me n'estic veient una muntanya...

Vingué aleshores un tudó tot blanc,
però ensutzat de colomassa,
i s'aturà a l'espatlla dreta
del vell senyor almirall,
el qual, amb la mà plana,
oferí quatre veces a l'ocell amansit.
En aquell temps ningú no s'estranyava
de res.
Vegeu la Bíblia.

LA CITA

Jo no m'aturaré; i tu camina:
com si no ens coneguéssim.
Les veus confuses i els senyals difícils
de la ciutat, em torben;
pels ulls dels altres
i els miralls,
la mort m'hi descobreix
i em fa preguntes.
Camina, dona.

Ja a l'altra banda del carril
cal emprendre el descens.
Segueix, llavors, la recolzada.
Passat el pont de pedra,
drecera amunt.
No tombis a mà esquerra
fins que trobis el clos
plantat de xiprers vius
i de creus mortes.
Potser t'hauré avançat;
si no, m'hi esperes.
I no asseguda, dreta,
entera, vertical, no com els altres.

Ens escauria un cel ben alt,
un migdia esbandit
pel vent dels grans viatges.
La nit és massa piadosa: embafa.
I amb tants d'estels, il·lusiona.

Dona, la vida és moda, ja ho sabies.
D'avui ençà s'imposa
l'escondida faiçó de la nuesa
cap a la línia òssia
fins a la pols primera i última.
Desprevinguts i decebuts
acomiadem-nos i desmemoriem-nos
amb gestos nuls de marbre.
La gravetat és infal·lible.

¿Qui sap, però, si a l'hora onzena
no ens plantaran les ales?
Mai no he pretès d'entendre cap misteri.

Guarnit de lleis supremes,
ignoro amb seny mortal
i amb avarícia.

I ara camina, dona.

OSSADA MEVA

Vius en l'estreta tenebra
de la meva presència total
revestida i regada
per serveis i matèries
també meus, jo mateix tot plegat.

Ossada meva,
que em sostens i em dissenyes,
encara no buida
ni estellosa o eixuta.
Riquesa minera
colgada en argila sucosa;
solidesa meva,
certitud insivible
en el sagrari del crani
i en la reixa del pit
(que en les mans i en els peus
es publica i detalla
tan útil i activa;
servil, sobretot en els passos);
i en l'anella central
on s'alberga i recolza
un misteri que dóna molt joc.

Ossada meva,
no t'he vist i només et conec
per damunt el cuir i la polpa,
però em fio de tu i recalco
l'ànima mateixa
en aquest bastigi travat.
(T'he de dir que a vegades em sento
trist presoner de la teva duresa
farcida de cor i altres blans requisits).

Ossada meva,
quan la mort et despulla
de batecs, regadius i substàncies,
et refàs i reposes
llargament en la higiene penúltima.

Perquè tu dures més,
relíquia de vori sagrat gairebé,
darrera penyora de l'home
que ara sóc o aparenço.

PRIMER, SEGONA

En l'espai on ara medito
sempre amb les mateixes paraules,
hi hagué un temps la tofa rotunda
d'un arbre gegant i selvàtic
on s'albergava i es migrava
l'Au solitària, en companyia
de verms microscòpics, i molsa.

Era un Ocellot malencònic
d'urpes ganxudes però inútils
per delicada covardia
o mal heretades vergonyes.

El vent somovia la copa,
l'aiguat hi sonava, invisible,
amb una nota baixa i vaga;
i el sol a penes n'aclaria
l'espessedat de fulla i ombra.

De nit, l'Ocellàs s'hi ajocava
damunt la branca arrodonida.
Cloïa els ulls com un filòsof
dels qui dubten, si encara pensen,
i, modest, confegia somnis
de llibertat assolellada
i ben compartida tendresa,
amb hores d'espera fecunda
i al capdavall un crit de glòria
–il·lús, eixorc, sòpit poeta!

VACANCES PAGADES

Primera edició: València, Diputació Provincial, 1959 [1960].
Premi Ausiàs March 1959.
Lletra d'Or 1961.

CANÇONETA NOUCENTISTA DEL MAL CAMÍ

Fatigat de tanta espera
he reprès el mal camí.
Deixo l'esperança enrera,
però la Fe em vol seguir.
A mitges li dic que sí.

Com si desfés el camí,
camino mirant enrera
on l'Esperança m'espera
amb els ulls contra el coixí.
La Fe em diu que no i que sí.

Decideixo tornar enrera
i em detura no sé qui:
és la Fe que m'esparvera
perquè ja no sap què dir.

Ara es lleva, lluny de mi,
l'Esperança ploranera.

No és aquesta la manera,
certament!, de fer camí.

BONES FESTES

Poeta primer

Els àngels: "Glòria a Déu en les altures
i aquí baix, a la terra, pau als homes
de bona voluntat!" (Música d'arpes.)

Llurs pares van pel món sense moneda.
Neixen de pas en un racó de porxo;
fugen, com tu o com jo, de l'amenaça.
Llur minyonia és mansa, sense joia.
Viuen del furt com els ocells campestres
(o algun patrici esnob se'ls posa a taula);
paguen l'impost a base de prodigis,
prediquen la llei nova, es fan malveure
dels mestres, com dels rics i dels gendarmes
(de res no els val guarir, tornar la vida!);
parents i amics els han girat l'esquena
i a mitja edat acaben a la forca
a semblança dels lladres homicides.

Definitivament els àngels callen.
Hi ha bona voluntat en els agònics,
la pau només es troba en les dormides,
potser entre megalòmans lluu la glòria.
Aquí baix fins els Déus són infeliços!

Poeta segon

Però la carn un dia ressuscita,
com la del Crist: és una fe forçosa!
Llavors començaran les "bones festes";
serà el Nadal, serà l'Any Nou, perennes!
Mentrestant fes el mort, passa com puguis.
L'espera és breu al capdavall. Silenci.

Poeta primer

Un matí de Nadal, quan era jove...

CHRISTMAS

Planten un arbre sense arrels
al líving,
i fan que llevi, de sobtada
torrons de can Fatjó
i un tren elèctric.
El favorit,
el dolç monopolista
despengen un estel
–tal com ho dic–, si volen,
per al fill embrutit
que marraneja.

Doncs, està vist:
fer miracles no és pas cosa de sants
ara com ara.

I tampoc ningú ja no s'estranya
–ni la rància donzella,
cul refinat de sagristia–
que l'Infant vagi nu
a l'hivern i de nit.

Pels christmas de tres tintes
s'endeuten els pobres.

I amb el pretext dels Reis
degollarem tants innocents com calgui.

No, no exagero.

LA CROADA

Quan s'acosta l'hora
les àvies i els petits s'agemoleixen
al fons de les alcoves;
i al recambró de la higiene
donzelles sospiroses
s'emmirallen, malgrat tot, amb càlcul.

Però els barons –fixeu-vos-hi!–
s'alzinen com pollancres
vora la taula devastada;
surten al porxo,
escruten el cel, color de perla falsa.
Bròfecs com els herois en crisi,
abracen per damunt
la muller eixuta,
que temps ha malalteja.
(El gos lànguidament udola
abocat a l'eixida.)

I "Adéu!" criden a tots
amb veu entera,
i alcen el braç a mitges,
secrets escèptics tal vegada,
però en l'extern inexorables.

De dos en dos,
de quatre en quatre,
a peu o sobre rodes es llancen
a les desertes vies de la tarda.
Entre marcials i amotinats
avancen, sallen
–escamots convergents,
centúries, legió–
impetuosos, emulant-se
en la carrera única,
com assumits pel fat enorme
de les grans ofensives
o els grans èxodes.

Perillosament –oh sí,
que en l'aire sobreneda
un pensament de pluja–,
catòlics de debò,

croats unànimes,
com
un
sol
home,
van a l'estadi nou, van a l'estadi.

ESPERO, SOSPITO, TEMO, VOLDRIA

Espero que no em miri,
que no em vegi.

Sospito que hi és sempre,
que no falla,
que em té fitxat,
que no hi ha escapatòria.

Temo que m'amenaci,
que em renyi,
que em castigui,
o que m'espiï,
i em segueixi.

Em desficien els misteris,
els oracles,
els enigmes,
els dons, els privilegis,
els èxtasis.

Les cerimònies em desassosseguen:
el culte,
el núvol sacre.

I voldria sentir-lo i veure'l,
parlar-hi, entendre'l,
servir-lo com un home
sempre.

Voldria que em prengués d'una vegada
o que em mudés en fulla,
en cosa pura, estúpida,
en pedra, o aigua,
en aire,
en àtom,
del seu total reialme.

Vull amor o repòs.

JA ÉS HORA QUE SE SÀPIGA

Demano la paraula prèvia.
Vull dir –i que d'un cop se sàpiga!–
que jo sóc Jo,
que sóc el Centre
i l'Àrbitre.

Que tots vosaltres, tots,
–això anant bé–
sou els meus conterranis:
parents, veïns, creditors meus,
proïsme meu pròpiament dit;
que tots els altres, tots,
bons i dolents
–grocs i negres, antípodes, gitanos–
són, a tot estirar
i encara gràcies,
els meus contemporanis.

Sapigueu que:
quan us veig, de fet,
us suscito, us ressuscito;
i en pensar-vos
us dono una esperança.

Però si us he perdut de vista,
mentre us ignoro o us oblido,
dormiu el son del just,
com se sol dir.
No passeu de potències
en el sentit més trist de la paraula.

Ja ho sé. Molts espereu
amb candeletes
el dia de cantar-me les absoltes.
No us enfileu, si us plau:
en el millor dels casos,
quan jo mori,
tots, tots,
bons o dolents,
sereu només els meus supervivents.

CONFIDÈNCIES A ANTONIO MACHADO

Antonio, si veiessis aquests dies!

Temps ha, de lluny, vaig enyorar la pàtria
i la ciutat més nostra;
i ho feia a la manera catalana,
ortodox i castís
("mes ai! tornau-me en terra,
que hi vull morir!").

Melangiós oracle de Castella,
obstinat solitari de Cotlliure,
(¡oh, soledad, mi sola compañia!),
encara en somnis terra meva.

Antonio, si tornessis gustaries
la amargura del tiempo envenenado.

Estrany poeta, Antonio,
sempre enyorós del que no tens i toques;
al capdavall jo també dic
–proporcions guardades–
morirse es lo mejor.

Que avui, de dins estant, oh germans espectrals,
enyoro foscament, sense remei,
tot el que he retrobat,
la presència envilida de l'amor.

Sóc el cretí del poble
–fora seny, com l'Ausiàs–
que conta al vent
històries increïbles.

La terrible cordura del poeta.

CODICIL DE POETA

Us llego, amics, senzillament,
els tres quefers humils de sempre:
viure (i menjar) amb decòrum cada dia;
si podeu, endegar cobejança i luxúria;
pensar (creure o dubtar)
en la certesa i les hipòtesis
de la mort de la carn
i la vida nova de l'ànima.

No hi ha res més a fer; i ja basta.
La resta és literatura.

Vostè, Joan, era d'una altra fusta.

Els homes neixen i moren
per l'amor.
No hi ha res com veure el sol,
el sol, la solellada estupradora;
i el vent en son palau.
La natura és molt bella
i tan diversa i sàvia!
L'amada és una flor,
una planta l'esposa:
veig flors i penso en tu.

La mort, ponent dolcíssim.
Però temible com una ceguesa
–que oblida tot camí–
i una sordesa;
i fon les mans que palpen
i és, oh Déu, una afàsia:
la paraula morta.

Els sentits, els sentits!
En darrer cas acceptaríem
la mort com una renaixença
de l'esperit, però amb els accessoris
i tot el parament d'home mortal,
perfets, consolidats per sempre.
Crec en la resurrecció de la carn.
Dic de la carn!
Em sents, botxí?

Senyor, família meva,
hi ha joves lluitadors
de *muscles* poderosos
i vells barbats de quaranta anys
a Sant Gervasi!

Criden les veus de la terra.
Au, companys, enarborem-la!
La fe dels avis desaconsella bombes.
Del cel ningú no se n'escapa.
Què són els àngels?
Volves voladores.

Estiuegem, estiuegem.
Mar inquieta, aquietadora,
sospires com un pit.
Pits com magnòlies.
La brega gloriosa,
el llit tempestejat
dels amors lícits.

Ja és prou!
Del sometent i home de brusi,
pura criatura de la Providència,
a qui tempten i exalten
tan misteriosament
frare diabòlic,
comte rèprobe,
bandit amb concubina!
I me n'adono:
cantà anàrquicament
la ciutat anarquista!

Hi ha gent cruel, és cert,
hi ha mala bava.
Riallades de sang.
Però la bona vida bona
ens sorprèn cada dia
per la primera i dolça volta.

Ara teclejarem per inspirar-nos.
Beethoven, Verdi, tant se val.
El cor s'esplaia com una cascada.

Vostè, Joan, era d'una altra estofa.
Els poetes avui són cautelosos
–vull dir, s'entén, els nostres.
Juguen molt amarrats,
guarden molt recollit
el ventall de les cartes.
I si s'escau fan bluf. I trampes.
Com tothom, com tothom.
No cria excepcions aquest tombant;
les excepcions foradarien
el cul de sac
on remuguen veus i silencis,
arrapats i a les fosques.

Don Joan, excusi la franquesa;
però no oblidi
que vostè i jo venim de Sabadell,
poble d'estar per casa.

Al capdavall som bàrbars.

COBLES DEL TEMPS

Cantaria, si pogués,
la cançó del temps i el lloc
que ara em toquen.

Cel, mar i muntanya:
inevitable mapa.
Però la història
coixeja de les quatre grapes.

Te'n recordes?
¿Quan tots érem senyorets
i lluïsos superfins
i engegàvem rodolins
com els ases pets?
La vela, la vinya verda,
l'ametller agosarat
i el pollanc... no diguis!

Ara no.
Mala pell. Arri, cabró.
Passa bou per bèstia grossa.

Avui la tonada fa:
europeus, unim-nos!
Correm-hi, correm-hi tots!
Redrecem i renovem
l'esperit occidental
tal tal!
Siguem ardits:
missa de tarda.

El protocol és intocable,
però fem-lo ben elàstic.
Tot orifany vincli la trompa
sense perdre gaire pompa.

A l'altra banda del bassal
ens fan el joc.
Cada dos per tres
ixi del seu clos
el Cap Gros
(ah ah! oh oh!)
mentre ens estafen en el pes.

Jubilem! Jubilem!
Els orelluts
esdevenen alats
i els banyuts
croats.
Cent sonets
(excelsior!)
ho certifiquen.

I mira: àpats literaris,
rodes de premsa, estadis.
Mira els jocs d'aigua!
Tot per escreix,
de més a més!
Plega, Pericles!

I la sicalipsi
a les flames per sempre.

I és així, senzillament,
com amb puresa de cor
rumiem i eixamplem
els magnes pressupostos.

VACANCES PAGADES

He decidit d'anar-me'n per sempre.
Amén.

L'endemà tornaré
perquè sóc vell
i tinc els peus molt consentits,
amb inflors de poagre.

Però me'n tornaré demà passat,
rejovenit pel fàstic.
Per sempre més. Amén.

L'endemà passat l'altre tornaré,
colom de raça missatgera,
com ell estúpid.
No pas tan dreturer,
ni blanc tampoc.

Emmetzinat de mites,
amb les sàrries curulles de blasfèmies,
ossut i rebegut, i lleganyós,
príncep desposseït fins del meu somni,
Job d'escaleta;
llenguatallat, sanat,
pastura de menjança.

Prendré el tren de vacances pagades.
Arrapat al topall.
La terra que va ser la nostra herència
fuig de mi.
És un doll entre cames
que em rebutja.
Herbei, pedram:
senyals d'amor dissolts en la vergonya.

Oh terra sense cel!

Però mireu-me:
he retornat encara.
Tot sol, gairebé cec de tanta lepra.

Demà me'n vaig
–no us enganyo aquest cop.

Sí, sí: me'n vaig de quatre grapes
com el rebesavi,
per la drecera dels contrabandistes
fins a la ratlla negra de la mort.

Salto llavors dins la tenebra encesa
on tot és estranger.
On viu, exiliat,
el Déu antic dels pares.

LLETANIA

Per als infants
mentides.
Per als amors
mentides.
Per als amics
mentides.
Per als clients
mentides.

Mentides plenes o primes,
fermes o tendres –juraments, besades–;
vives –com fresca sang–;
sàvies, agraïdes.
Guatlles i bòfies.
Mitges mentides.

I mentides històriques
que avui pengem als mentiders besavis.
Mentides literàries
–a cada vers dues mentides.
Mentides metafísiques
–l'ésser i el temps, redéu!
Mentides tècniques, científiques:
xifres que es tornen màquines
i màquines que menten
com llegendes folles.

I mentides de fe,
que són la trista gran misericòrdia
del cel per als sofrents
i els mísers de la terra;
altes mentides fabuloses
que un dia, no sé com,
diu que seran certeses,
(Gràcies, Senyor, per endavant,
acompte sense garanties,
per si així fos.
Amén, amén, Senyor!
Oïu el clam, Senyor?

Perquè la mort, quan ens remata, menti!)

HI HA COSES MASSA PURES

Hi ha coses massa pures
per a ser dites
o només pensades.
Però els poetes,
incontinents, verbosos,
gosen inquietar les zones inefables
amb triades paraules
al capdavall estúpides.

I pretenen encara
ser els torsimanys
de la musa inservible
o d'algun déu,
com tots sobrer.
¿O espremen d'ells mateixos
sucs celests tal vegada?
Sort que escassegen els miralls,
puix que els poetes, en efecte,
són ben ridículs
en llur jactància.

Valdria més callar,
que tots calléssim.
I aleshores parar les grans orelles
i aprendre alguna cosa
dels planys, les boniors,
el càntic de la vida;
dels entranyats batecs
i els admirables –malgrat tot–
silencis animals
de l'home,
quasi impossible provatura.

SEIXANTA

Comptaré els seixanta anys
que ara m'arriben en silenci
com el rellotge fatigat i ronc
que han arrimat al mur
més ombriu de l'estança.

Xiprer mal adobat,
es dreça encara travessat
per quasi vint-i-dos
milers de dies.

Passaven, repassaven
els aires i la llum,
estacions i llunes,
la tenebra sempre imperfeta.
I jo, distret o consirós,
cedia al pes del temps,
m'hi decantava peresosament
o feia com qui es resisteix
amb urc de solitari.

Sabes tenaces, el desig
i el pensament, recorren
la fusta tendra i àvida.

Ara m'enamorava dels ocells,
tenia adés la vista als dits,
tastava fruites aspres o macades.
Però el meu àngel era el temor.

Poruc, incrèdul, mal armat,
desconfiava dels meus passos;
també dels ulls dels altres:
"Reu de lletjor!", deien uns crits,
uns crits de jutge amb la veu meva.

Tot tan distant i tan present!
Tot gratuït, fortuït, o tan ardent!

La vida es maura dins la sang,
la ment treballa com les dents;
els sucs de l'ànima dissolen
les preses dels sentits ganxuts

i en fan detritus, excrements,
espectres que m'esglaien:
la veu de la consciència.

He viscut, doncs, al capdavall?

Coquí, llamenc, gallòfol,
tan refinat i tan sensible!
L'alegre companyia
folgava lluny, a l'altra vora.
"Per què no hi vas?" Em doloregen
massa els peus;
sóc granellut, diu el mirall;
ric d'amagat, si puc,
a llavis closos.

Saltaré els entrebancs, pensava jo.
Si tinc el món per enemic
la carn em tempta i m'hi complac,
clandestí com un talp;
i el diable és una contalla.

Em ronda i em pren el pecat
(m'agenollava amb un genoll a missa).
Invoco Déu i em tusto el pit
pilós. Fra Garí penedit. De fet,
herència d'avis boscans,
ventruts i amb més peus que mans.

Vagarejava, balder,
sòrdid pubill d'un somni encès
a penes tangent a la vida.

Però un dia ventós em va deixar
als braços la *cosa inefable.*
Els miracles, no els veu ningú!
Venia del cel o del mar?
O es desvetllava ran mateix de mi?

¿Qui mai haurà pogut
merèixer i apreuar tanta certesa?
Senzilla com aigua llisquent,
de sagrada fidelitat
pueril, la que Jesús somnia.

Era l'àngel que abraça i besa
o la fada sense fetills
amb seny de mestressa molt fina.
Beneïda dea d'eixampla
–cor il·lès i feiner–,
benigna fins en l'absència.

La rosa que lleva, ben blava,
cada cent primaveres
aquell roser reial,
salvat del monstre ponentí,
i arpellut, advera sant Jordi.

Tot es perd. O ens perdem.
La perdia també
una rònega matinada
d'aurora sobreposada
com tantes altres coses.
Adéu, clavell, estrella!
Un vampir –feia el metge–
li va xuclar la sang preciosa.
Potser per restaurar –suposo–
tal matrona a l'ordre del dia,
que si es desinflava desdeia
del seu hàbitat majestàtic.
És cert que la mare Natura
sovint marradeja.
En el pla metafísic tot s'explica.

No em queixo pas.
Em guanyo la vida, senyors.
Treballo (a sou,
i el que faig són noses per a mi!).
He trobat piadosa companyia,
i coratjosa, ben mirat,
que ara jo sóc un os,
parlant en plata.

Però ja truquen tots seixanta.
"Passeu, passeu. És casa vostra.
A tants, poc us podré oferir,
que em trobeu ric, ben ric, només
–ja és cas!–
del que he perdut: de dies."

ABANS DE CALLAR

Sofreixo l'obscura
pressió del temps
—callades distàncies,
records insepults—
damunt la memòria
i dintre la sang.

No enyoro el que perdo
ni em plau el que tinc.
Remugo penombra
llunyà dels veïns.
Albes lleganyoses
i nits com miralls
de tanta ceguesa;
no trobo res blau.
(Em juren que un dia
s'asserenarà.)

L'èxit m'ennuega,
l'amistat em cou
ferida sagrada.
Cobejo diners
que em farien apte
per a cloure els ulls
a molta falsia,
per a no servir
la grassa fadesa
d'aquell reeixit.

Sento un amor propi
tot just animal,
però no m'estimo,
no em plac molt ni poc.
(¿Ama el teu proïsme
com a tu mateix...?)

Si estic sense malla
no us puc deixar res,
ni un sol bon exemple
ni cap bon consell.
Tanmateix vull dir-vos
abans de callar
que hem d'espavilar-nos

a qualsevol preu.
La nostra esperança
és ambició
maligna i enveja;
tot és vanitat.

Ara callaria.
Però encara no.
Vull repetir dites
de mal escoltar,
sabudes i velles
de mil nou-cents anys,
però tan oscades
com contes de fades,
amb nans i gegants.

Mai no et neguitegis
per menjar i vestir
¿que no veus els lliris
i els ocells del cel?
Diu que els rics no poden
entrar en Paradís.
(Els lirons, els mísers,
benaventurats!)

Qui trobi son ànima,
il·lús, la perdrà.
Deixa pare i mare,
l'eina i el diner;
no fatiguis taules,
no dessagnis bots,
no folguis amb dona
si tires per' just.

I ara sí que callo.
Parlar costa poc.

CIRCUMSTÀNCIES

Dedico aquests versos
a un presumpte català del 2068
amb l'esperança (vacil·lant)
que ja els trobarà extemporanis.

Primera edició: Barcelona, Edicions Proa (Els Llibres de l'Óssa Menor, 60), 1968.

Pròleg de Joan Oliver. Amb unes "Notes provisionals sobre poesia" per P. Q. i una fotografia de l'autor.

EDAT ANTIGA

Em sembla recordar que era feliç.
Parlo d'uns temps senzills,
dels meus sis, set, vuit anys, la bona edat.
Tot natural, tot ric al meu entorn.
La petjada dels mals s'esborrava de pressa:
els renys, la llei del pare,
que ens dispensà,
quasi sempre de lluny,
un amor tan adust, tan ferreny
i al capdavall tan just! –dic ara.
Implacable en el blasme i en els petits càstigs,
amb caigudes, però, en la promesa
i en el premi, sobtat i de retop
–la mare,
serena, borrosa mitjancera–,
com un jahvè afeblit, de tant en tant,
pel seu orgull de creador,
que s'emmiralla en els plançons,
fins i tot en llurs falliments.

Quart entre molts germans,
jo era el més fort, i l'inventor de jocs,
i el més aspre també.
Regnàvem al jardí, a la galeria,
lliures de protecció visible.
Només l'enorme terranova
deferent, en repòs com un lleó de bronze,
ens veia fer i desfer

en la concòrdia, en la discòrdia,
en la impaciència cridanera,
en la complicitat quieta
d'esbarjos sedentaris, de conxorxa,
o en el salt i la cursa,
en la grimpada i en la tombarella.

La carn no pol·luïda,
els sentits i la ment en bon aprenentatge,
jo alenava, vivia,
flamant, lleuger de dies.
No era covard encara, tampoc tímid.
Poruc a estones, sí;
i un xic cruel amb les bestioles:
borinots, papallones, cap-grossos.
També passava ràbies per un capritx vedat
i aleshores sofria en secret i a les fosques.
Però els danys, com he dit, eren ràpids.
Desconeixia la mentida, la rancúnia,
l'enveja, la cobdícia
–pecats jussans entre els més baixos.
Petita vida esbatanada,
sense el llast de les zones secretes.

La institutriu, fadrina beneita,
marcida pel desús o monja sense vots,
ens inculcava
escarrassadament les beceroles
amb mansuetud sovint mal corresposta.
I per domar-nos ens contava històries:
la mala sort d'Abel,
el primer sant –ens deia;
la vida de les verges més lirones
o les paraules –inventades–
de Jesús als infants.
Tot ho puntava i ho comava,
ho endolcia i ho refistolava,
com les labors i les llaminadures,
tan cursis, de convent.
A les nostres preguntes
somreia, reia tènuement
o s'escandalitzava, melindrosa.
Però se'ns feia seus, ben cert,
i admiràvem la màgia
d'aquell art viciat per la innocència imbècil.

Dels germans, el més gran era una noia.
Jo la veia bonica, cara d'àngel,
porcellana viva:
mans blanques, primoteres i ungles netes.
Els ulls rodons, brillants, tan límpids
i de pupil·les fondes i amb misteri.
I ja llegia llibres tota sola,
sense moure els llavis.
Un dia m'acaricià els cabells
–jo, l'únic, no sé pas per què,
els duia llargs, de patge.
I un altre dia, a soles ella i jo,
em féu un sermó agre
per haver respostejat a l'àvia,
fins que vaig dir:
"No hi tornaré, me'n penedeixo".
Justa de nom, també de fets,
plena de seny i un poc altiva.
I tots la respectàvem, fins el pare.

Al peu de la cascada gran, de pedra tosca,
amb molsa, créixens, picardies
–i dalt una balmeta
amb una Verge blanca i blava–,
hi havia un bassó amb peixos de colors.
I feia temps que jo em delia de pescar-los.
(Vaig complicar dos dels germans
en tan lletja empresa.)
Amb un caixó de fusta,
sense tapa ni cul,
provàvem d'aïllar-los, de sobtada,
entre els quatre costats,
inútilment.
Però un cop, quasi prou amatents,
esclafàrem la cua, i més, del gros
–un de rosat i ulls rojos,
i amb nom i tot: la Pastanaga.
La ferida sagnà
i el peix nedava de gairell.
Esverats i contrits,
havent sopat haguérem d'acusar-nos
del crim davant el pare.
El qual sentencià:
–Un dia enter sense jardí!
On heu après aquests instints de cafre?
A la presó, plena de sol, com ens desficiàvem!

I recordo que jo mirava fora,
darrera els vidres de colors,
i sempre n'escollia un de violaci
que apagava, entristia
el verd de les moreres
i l'esclat de les roses.

El germà gran era traçut
en treballs manuals, i el pare
li va comprar un banc de fuster
i un tauler d'eines.
Doncs aquell banc
–caldrà que ho sapigueu– em suggeria
la meva primera obra *literària*
(i ho dic sense vergonya, perquè aqueixa
va ser tan pura
com els borbolls d'un torrentol intacte).
Amb el banc trabucat, potes enlaire,
dues canyes d'escombra,
uns papers d'enfadar blancs, com a veles,
i una bandera de color de rosa,
conjuminàrem un veler fantàstic.
I jo n'era l'intrèpid tripulant,
en Tomaset Barquer.
Al nostre estudi del pis més alt,
unes vetlles d'hivern, potser mitja setmana,
l'heroi representà unes aventures
de mars avalotats, pesques prodigioses,
lluites amb monstres, cos a cos,
i, sobretot, naufragis imminents,
que el marí conjurava a darrera hora
contra tota esperança.
I, extremós fins a la suada,
en Tomaset, sense deixar de viure
de cap a peus cada episodi, no callava:
monòlegs i cançons, renecs, pregàries,
i també aparts, com els bons clàssics.
I els quatre o cinc espectadors,
muts, acorats, ulls rodons;
també a vegades, per excepció, mofaires
–no m'estic pas de dir-ho.
I finalment l'ovació frenètica.
I altres coses semblants.
Però ara penso:
¿és gaire bo que burxem en un temps
i en uns records

–bons o dolents, però sempre
darrera els vels de la distància–
que tothom ha passat,
de què tothom disposa?
¿I és prou honrat de fer-ho així
–com jo–, tot corregint i maquillant,
ni que sigui amb pinces
i a fi de bé,
l'esforç de la memòria?
Per què, comptat i debatut?
¿Per arribar a concloure
que la infantesa
ha estat a penes
un assaig insabut de pàtria venturosa?
¿Quatre jocs sense sal i dins la boira,
remots, incomprovables,
projecte inconscient –miratge dels adults–,
el millor d'una llarga vida?

SENSE PASSAPORT

Et veig d'escorç, com un empelt de mi,
bessó regat per la mateixa sang,
avui que estic malalt i apaivagat
i penso poc i a poc a poc, i escric
amb un llapis molt curt, cul de calaix.

Ha sortit i se'n va pausadament.
Potser em couen els ulls: fa un sol vermell.
Camines per un erm de la ciutat.
Em veus de lluny, del llit estant.
Ja tornaré. Ja tornarà, si vol.

El bon temps dura poc. No sé què dius.
Aquesta nit et parlaré de tu.
Ai, germà meu, ets l'únic entre tants.
Jaurem plegats, amb febre, ben quiets.

El metge riu amb boca d'or
i ens compta el pols amb un rellotge d'or.
Per això fuges, nu i descalç?
Temo que un altre mal et pendrà el lloc.
Des que sóc dos em sento més antic.
Haig de seguir-te sense passaport?
Eunuc servil, vigila els meus amors
i la carpeta dels gravats obscens.

Tot és jactància, saps?, repapieig.
Digues d'un cop la veritat, germà.
"Els pares van morir. Com és de llei.
Però no queda res, no queda res.
Ni el trull sagrat, ni l'alzinar negrós.
Ni els mallols del vessant assolellat.
Ni el papagai? Eines, on sou?
I l'àvida cosina dels estius?"

I on són els altres, els recents, els vius?
¿Les dames i els senyors del motlle nou,
ara que un virus m'emblaveix la sang?

Jaguem plegats, amb febre, ben quiets.

Déu de la soledat, obre'ns camí.

TIRALLONGA DELS MONOSÍL·LABS

Una llengua avara —doncs rica— em permeté aquesta contribució anticipada al tan plausible programa d'austeritat.

Dedico aquest curiós exercici a Josep Ros i Artigues. Petit senyal d'afecte. I d'especial reconeixement (qui ho pugui entendre, que ho entengui).

Déu

I tu, què vols?

Jo

Doncs jo sols vull
—ei, si pot ser—:

Un poc de fam
i un xic de pa.
Un poc de fred
i un poc de foc.
Un xic de son
i un poc de llit.
Un xic de set
i un poc de vi
i un poc de llet.

I un poc de pau.

Un poc de pas,
un poc de pes
i un poc de pis.

I un xic de niu.

Un xic de pic
i un poc de pac
—o un xic de sou
i un xic de xec.

I un poc de sol
i un poc de sal.
I un poc de cel.

Un xic de bé
i un xic de mal.
Un poc de mel
i un poc de fel.

I un poc de nit
i un xic de por,
i un poc de pit
i un xic de cor
i un poc de crit.

I un xic de llum
i un xic de so:
un poc de llamp
i un xic de tro.

Un poc de goig
i un xic de bes
i un poc de coit.

I un xic de gos.

I un poc de gas.

Un poc del fort
i un poc del fluix.
I un poc de rom
i un poc de fum.

Un poc de lloc.

I un poc de joc
–tres reis, dos nous.

I un poc de groc
i un xic de gris
i un xic de verd.
I un xic de blau.

Un poc de tren
i un poc de nau;
i un xic de rem.

Un xic de vent.
I un poc de neu.
I un poc de rou.

I un poc de veu
–i un poc de vot.
I un poc de cant.
I un xic de vers.
I un xic de ball

I d'art. I d'or.

Un poc de peix
I un poc de greix.

I un xic de feix.
I un poc de gruix.
I un poc de carn
i un poc de sang;
i un poc de pèl.
I un poc de fang
i un xic de pols.

Un xic de flam
i un poc de gel.

Un poc de sant
i un xic de drac.
Un xic de risc
i un poc de rés
–i un poc de rus.

I un tros de camp
i un xic de fruit;
un tros de clos
prop de la llar
amb aus i flors.
I un poc de bosc
amb pins i brins.

I un xic de font.
I un xic de riu
i un poc de rec
i un poc de pont.
I un poc de gorg.

I un poc de mar
i un xic de port.

I un poc de llor.

Un xic de lli
i un poc de cuir
i un poc de pell
i un xic de fil.

Un poc de lluc
i un xic de suc.

I un poc de porc.

I un xic de parc.

Un poc de gust
i un xic de rang.

I a més del meu
un poc del seu
i un xic del llur.

Vull ser: ruc? clerc?
bell? lleig? dret? tort?
gras? prim? llest? llosc?
nou? vell? ferm? flac?
bla? dur? buit? ple?
dolç? tosc? sec? moll?
greu? lleu? curt? llarg?
fosc? clar? xaix? fi?
Un poc de tot.

I a més, què vull?

Un xic de seny.

I un poc de temps.

I un xic de món.

I un poc de sort.

I un poc de mort.

I un poc de Vós.

Ei, si pot ser.

JA NO SERÀ UNA ILLA

Deixeu, amics, que un fatigat escèptic
posi esperança i fe en alguna cosa.

La llibertat tot just ha descobert Amèrica,
hi ha plantat finalment l'aspra bandera.
¿En nom, potser, d'una Catòlica
Majestat (ha! ha!) o d'un trust omnipotent
i fètid de protectors (mal llamp!)?
No, res d'això. La llibertat de Cuba
nià tot dolçament entre la canya
i els bananers, com un ocell autòcton;
covà en secret –així coven les plagues–,
després creixia i es multiplicava
i al capdavall es desfermà, devastadora
del mal amb noms de bé,
bàrbara (potser de barba), hirsuta,
esgarrifosament injusta amb la injustícia.

La gent consolidada, les famílies
de pa, coca i la resta,
les senyores sensibles i almoineres,
els cristians reencarnats,
sempre els mateixos,
del segle quart ençà,
certs subproductes universitaris,
tota la fauna bípeda del dòlar,
posen el crit al cel, al llur, reneguen
–entre coixins i eructes
o en els descansos d'una partideta
de golf de molts forats– i diuen:
Esclafeu la xusma!
Xucleu la taca d'oli
amb bombes hac
(que prou bilions ens costen!).
Intolerable! Inconcebible!
Perilla el nucli de la civilit...

Però la llibertat de Cuba
ja era una estrella amb flames pròpies,
tota roent, que rodarà i que roda
i llança les guspires, filles seves,
que abrandaran Amèrica
en un castell de focs sense artifici,

número fort del gran programa
d'horrendes festes populars
amb tanta sang fecunda
–la sang dels enemics també és fecunda
i ells també, per la sang,
esdevenen, a contracor, gloriosos!

Un dia Cuba ja no serà una illa.
¡Hermanos, así sea!

1962

ELS BLANCS I ELS NEGRES

Els blancs són fills de Déu i hereus del cel.
Els blancs, flors de la Providència,
trafiquen amb carn negra.
Els blancs viuen dels negres,
prosperen i se xalen amb el panteix dels negres.

Els blancs tenen fills blancs:
les senyoretes blanques,
rosades, delicades, tan sensibles,
sovint, cada divendres,
s'apiaden de llurs negrets més negres
–i d'amagat llegeixen *La Cabana*
de l'Oncle Tom, amb llagrimetes.
I uns blancs greus i suaus,
de vesta negra,
prediquen, per Nadal, que els negres
són animetes del Senyor *sub conditione.*

Els blancs espremen tot el suc dels negres,
a escarns i a fuetades,
fins al darrer sospir dels negres.
Els negres canten per als negres
llurs penes i fatigues
i treballen com negres
per la Blancor Honorable
tan ben plantada en cada hisenda,
al cor de la família:
senyores mig mestresses mig bagasses,
tanys rossos i esportius,
cavalls i ocells i gossos,
i esclaus de luxe negres.

Però arriben temps nous
i a poc a poc les coses es temperen.
Si els blancs són blancs per la divina gràcia,
per la mateixa gràcia graciosa
són els negres negres.
I heus aquí que els negres
ja canten per als blancs.
I els blancs, tan enginyosos,
amb la suor dels negres
ben amanida, ben pasteuritzada,
conjuminen i disseminen a l'engròs

l'Universal Beuratge Tèrbol,
conhort dels negres,
refrigeri dels blancs
en les pauses del control dels negres
–dels negres negres i dels negres blancs.

Tot rutlla, tot progressa
com estava previst
pels taumaturgs
de l'àmplia Democràcia.

Déu és blanc... qui ha dit no?

El món ja era ben fet el setè dia.

POBLE MEU

Poble meu (tenim dret a dir *meu?*),
gent humil, mesquinets, plebs il·lusa
a qui una ombra de luxe enlluerna
i la fa inofensiva, mestissa,
i la deixa indefensa.
Per escreix, la TV,
incessant, us injecta l'enveja.

No accepteu donatius, res d'almoines.
D'on surten les misses?
Amb els vostres estalvis
—suada avarícia dels pobres—
rumbegen els bancs *populars*
i remenen milers de milers
i se n'unten els dits Benemèrits
(els càrrecs —diu— són honorífics;
bé, però, qui serveix les comandes?)
i alcen pisos de gala per als fills ben triats,
que poden concloure:
—Papà, com que em caso vull casa!

I vosaltres, qui sou? I quants sou?
Mireu-vos, compteu-vos primer;
de seguida apresteu-vos!
No cal pas vessar sang:
tota sang té una mare.
No cal pas malmetre, desfer:
cal prendre-ho només:
tot es vostre.

Cal només voluntat, unitat,
potser un xic de paciència,
molt de seny i un mot d'ordre legítim.
I obeir-lo, complir-lo!

Encara heu d'aprendre la força del nombre!
La implacable eficàcia
d'un *no*
just, compacte i unànime!

Arrenqueu-vos la bena.

EL MALSON

La història dels temps
¿fóra potser el malson d'un déu
que s'adormí quan l'home es desvetllà
(*variant:* que al cap-al-tard del sisè dia s'adormí)
sobre el costat esquerre?
I encara dorm, sempre inquiet.

Només així resta explicada –diuen–
tanta inversemblança,
aqueixa sublimada fantasia
en la invenció del mal
–i la tan mòdica invenció del bé–,
del dolor historiat, infatigable,
dels odis, cobejances i falsia,
de la fam i també de les fartades,
de l'estulta mansesa dels innúmers,
de la fe i l'esperança gratuïtes.

Quan se n'adonen –ja era hora–,
uns fidels, més aviat malvistos
als cercles alterosos,
clamen amb veus urgents, d'angoixa:
Cal despertar-lo! Desperteu-lo!
Callen, però, tots els de dalt;
silenci de l'orgull o del temor;
potser massa aqueferats:
vanitat i luxúria
–som així els homes–,
guerres i negocis,
viatges, diplomàcies de luxe,
encícliques verboses i congressos.

Al capdavall el "Cinc Costats" proposa,
espartà, funcional
i de bona fe, sembla,
l'únic mitjà –diu– congru:
Engeguem la Tercera, la Vençuda,
sobtadament i a tota escala.
Ja que aquest cop,
paraula de tecnòleg!,
amb tant retrò no dormirà ni el déu!

TEMPS DE DIÀLEG

Tot aniria bé si no teníem
aquesta aquesta ràbia al cos,
si ens resignàvem a un destí d'ovelles:
la vida de ramat, el gos d'atura,
el roc que brunz arran d'orella
o que t'encerta, llançat amb massa traça.
Oi que sí?
Tot rutllaria si no ens torturàvem
amb reflexions,
recances i esperances,
i rumiant venjances.

O enveges.

I enveges, potser sí.
Enveges: o tots frares o tots lladres.

Jesús va dir...

Sí, prou. Allò de l'una i l'altra galta,
que hem d'estimar els qui ens persegueixen.
I tornar mel per fel.
I que no ens cal escarrassar-nos
pel menjar i el vestir;
que si et roben la capa,
a més, facis present de la bufanda al lladre.
Per què heu deixat de predicar-ho, això?
Admeto que el programa
té poca cosa de catòlic
—diguem res.

Escolteu: volia recordar-vos...

Allò altre del camell i de l'agulla?
O l'aclarida, a vergassades, dels mercaders?

Tampoc. Pensava en el sermó de la muntanya...

Ah, sí. Les benaurances.
I en les malaurances, no hi pensàveu?
Només el Lluc, bon jan, ens n'ha fet cinc cèntims;
els altres, muts.

Però Jesús...

Jesús, el vostre, no l'entenc.
Massa bonic. Tot lliga.
Ens el cuineu. La panacea.
Jesús, el veig i em fa una pena!
Me l'estimo perquè ell *també m'estima.*
Prou mudava la música i la lletra,
però no se'n sortia.
Era dels nostres, sí, però es trobava
condicionat pel medi i per la conjuntura
–ho diuen així, ara.
Sovint, destarotat, improvisava,
es contradeia
o s'encongia, o s'embalava.
Massa poders: el Pare,
i el Príncep d'aquest Món,
i encara el Cèsar.
A cadascú, el seu.
Trobo que són molts compromisos.

Heu sentit campanes...

I tant, i tant si n'he sentides!
El cas és que ningú no en treia l'entrellat.
I ell fracassava.
Ara mansoi, afectuós, suavíssim,
adés s'enrabiava i maleïa.
Demagog de l'amor –diria jo–,
míser atleta públic de la pobra justícia.
Geniüt, impacient i sempre amb presses,
anava curt de temps .
–l'ha vist bé el Pasolini–,
la missió del Pare l'empaitava:
salvar el poble, el seu poble,
gent mesella, gent fofa
i embrutida, pobrets!

Jesús, tot ell, cremava
d'un amor impossible.
Veieu? Era ben bé dels nostres,
Profeta en terra de profetes,
no renegava pas la Llei,
però la Llei l'entrebancava,
li venia estreta.
Apostrofava els Mestres

iradament, frenètic.
Es jugava la pell,
prou que ho sabia.
I, pas darrera pas, s'acarrerava
fatalment a una fi afrontosa.
Al capdavall va morir com un home.
El van deixar tot sol, quina vergonya!
Llançava en l'agonia, entre tortures,
pregàries, queixes, improperis,
i un udol terrible
li va rompre l'alè.
És una història estranya, com n'hi ha poques,
tremenda, enrevessada.
Era ben bé dels nostres:
sempre la pitjor part.

Digueu també
que ens redimia amb sang divina
i que triomfava gloriosament
de la mort, del pecat, de la...

Ep, jove, cap aquí no us segueixo.
Va ser un jueu com una casa.
I sense anar més lluny, compteu!,
l'Adolf plantava, no fa gaire,
sis milions de creus de carn sacrificada
in memoriam d'aquella.
Voleu un holocaust més massís?
Quin honrament tan esfereïdor!
I no pas vostre.
Ai, com empal·lideix
tot el martirologi!
I un joc de nens,
el vostre Sant Ofici!

Desvariegeu, desvariegeu!

I si ho fes a posta?

Jesús...

Sí, sí, pobret Jesús!
Podeu cridar ous a vendre!
Els primers segles
hi hagué la fe, l'amor i l'esperança
dels aculats, la pobrissalla.

Valia més ser màrtir crèdul
que esclau sense remei, no us sembla?
Però després, a mans dels amos,
la fruita es va podrir...

Em permetreu que parli, que defensi...

Ja us faig perdre prou temps.
I picaríeu sempre en ferro fred.
I ara, una cosa.
Un no és ningú, però ha viscut
malament i pitjor,
al sol i a l'ombra, ja m'enteneu,
i un ha viatjat, per força!,
i un ha tractat persones
de tota llei, i un ha llegit
llibrots i llibres, de blancs i de vermells.
Doncs escolteu què us aconsello:
que abandoneu la ciència
i mateu puces amb la teologia.
Veritats revelades en tela de judici?
Cerqueu el regne
i no els afegiments
–la justícia del món,
la pau del món,
el regiment del món–
que aquests assumptes no us pertanyen.
Deixeu-nos-ho.
I això que –trista gràcia!–,
cada trimestre, en passar llista,
som més escassos.
Potser ens delma l'enveja.
Però, deixeu-nos-ho.
Ja mirarem d'espavilar-nos
–o hi petarem–,
nosaltres, gent del ferro,
d'ungles i dents i bilis negra acumulada.
Doncs bé, escolteu-me:
No us poseu al dia!
Mentrestant, *ells,* que creguin,
que creguin en miracles
passats, presents, possibles.
Parleu-los en llatí, o en grec:
impressiona, meravella
i –cosa estranya– dóna confiança.
Solemnitzeu, guarniu-vos

i que un núvol d'encens us distanciï:
des que l'home és home, màgia.
Alimenteu *llur* fe, no en tenen d'altra.
¿Per què oblideu que aquells tarats,
els tristos i afligits de Galilea,
i fins i tot els Dotze!,
eren també uns devots ben utilitaristes?
Respectem els hereus de la ignorància,
l'egoisme innocent,
l'estúpida puresa
dels pobres d'esperit;
criatures sagrades, intocables.
Innombrables.
Són els salvats –com els infants–:
Jesús mateix els envejava.
Al capdavall, potser són ells que ens justifiquen
a tots: vosaltres i nosaltres.
Penseu-hi: encara us resta, pel cap baix,
mig segle gras d'esquemes clàssics.
Cap viu! No us tireu terra als ulls.
¿O per ventura
cerqueu, a gratcient,
de quedar-vos en quadre més de pressa?

Germà, germà...

El pap era tan ple!
I ara que hi penso:
¿sabeu què deia aquell bonàs,
ja decebut de tot?
Doncs deia:

> "Oh Crist ressuscitat, ¿per què
> no baixes i no regnes?
> Si no, perdrem la poca fe.
> Sovint somio que Jahvè
> torna a agafar les regnes!"

No em voleu escoltar, sou molt xerraire,
us tanqueu a la banda;
i el diàleg...

Sí, m'he esplaïat...
Ja ho teniu tot fet, vós?
Avui, diumenge, també treballotejo;
profano el dia –clamen els escribes.
("Orate frates!

Jo amb esclops i tu amb sabates",
recalcava un menjacapellans del barri.)
Compteu: la dona, tres fills i mig,
l'avi tolit,
la sogra malaltissa
–quina plepa! No fa ni deixa fer.
Deixem-ho córrer.
Perdoneu-me, doctor, si us he faltat sense voler
Avant!
I gràcies.

BONDADÓS SUÏCIDI DE CIRCUMSTÀNCIES

Aquest plàcid monòleg, gravat en cinta en les tres llengües universals, amorosirà l'agonia dels pares legítims i naturals de la Bomba.

Deixa'm tranquil, no m'amoïnis.

El món d'avui no em plau,
tampoc jo no m'agrado;
no quedo bé:
I em trobo extemporani (intempestiu),
incompatible, estèril,
supernumerari.

Ningú no em necessita.
Tu tampoc.

Davant tanta barreja,
tanta discordança,
tantes impaciències,
pífies particulars i universals,
i terboleses; i aleacions,
vanitats, i tantes ínfules
i tanta tanta trampa
—compreses, ben entès, les meves—,
dimiteixo el meu càrrec de proïsme
irrevocablement.
Si et plau, de tan en tant,
cada sis hores,
porta'm un got d'aigua.
Aigua fresca, lleugera, de font
—però no pas, pels déus,
de Canaletes.

Dormiré, dormiré.
Espero encara somnis bonics, exhilarants.
Temo els malsons, és cert;
sense control,
van massa lluny i massa endins
en la malevolència masoquista.
Però cal arriscar-se.

D'altra banda combatré l'insomni
amb pensaments feixucs,

evocant temps dolents,
cridant a la memòria
fracassos, grans papers ridículs,
vergonyes doloroses,
pecats (vull dir transgressions)
inútils, perpetrats en fred,
i fins porcades deslleials, bé que no gaires.

Cansat de tant de pes m'abaltiré.
I després, un moment, a penes lúcid,
em podré sentir lleu com una volva.
Sempre en la penombra.
Els ulls dolçament closos.
Oblidaré qui sóc, qui era, on sóc.
Les mans ben lluny del cos
per a ignorar-me'l.

A poc a poc sabré aprendre de morir-me
com un sol de posta d'estiu,
serena però ben senzilla,
en horitzó marí.
M'aprimaré,
les hores xuclaran
tota humitat, de pressa.
S'imposarà la calavera duradora.

No em queixaré, t'ho juro.
(Si em telefonen, si em visiten,
diràs: "És fora.
No sé si tornarà".)

I no, no tornaré.
Se m'enduran. Inevitable.
Pesaré poc, si rebaixeu la tara.

Ningú no plorarà.
No ploraràs.
Una fi tan sàvia,
tan neta, dòcil, bondadosa,
covada i experimentada,
més aviat és admirable.

Serà —passeu-me la immodèstia—,
serà un èxit.
Tinc amanits els mots postrems:
"Bravo! Bis! Bis!"
Com un eco erroni.

Sí, és una mort que jo mateix
desitjaria repetir;
per això fins i tot suportaria
—prèvia, forçós antecedent—
una altra vida com la meva.
Sí, tan llosca, ho certifico.

(Cal descomptar només
les temporades que estava enamorat,
malalt, i foll, i combatent d'amor,
nauta feliç, nàufrag secret de breus amors
—diria potser un poeta.)

CANÇONETA FOLK DEL NOU POBRE

Al senyor Ramon d'Abadal

Regracio el meu destí
i la meva poca traça
perquè un dia, a mig camí,
em deixaven sense un bri.

A pesar de tantes noses
em veig força independent
i més lliure que el torrent
que té marges i rescloses.

Ara sento pietat
dels companys que han fet fortuna
en diner i en potestat,
presoners de llur estat.

I no estic pas poc content
del treball obligatori
que m'imposa un deure urgent
com a tanta i tanta gent.

Pas a pas, i no de bou,
cada mes em gasto el sou;
em ve just, però en tinc prou.
No estalvio ni faig deutes
(tret que em sagnin terapeutes).

Així em trobo més a prop
dels petits que el gran menysprea
i com ells aguanto el cop
i rebullo per la *idea.*
Hi ha qui em diu: "Ets un esnob".

Però el cas és transparent:
ja no sóc terratinent,
ja no puc fer testament,
hissa, hissa, hissa, hissa!
Net de cor i de calaix,
tiro dret, no de biaix.
Ja no cal que vagi a missa!

QUATRE MIL MOTS

Primera edició: Barcelona, Edicions Proa (Els Llibres de l'Óssa Menor, 94), 1977.
Pròleg de P. Q. Frontispici per Antoni Oliver.

TOT ÉS AHIR

Paraula nul·la: l'esdevenidor.

Cada matí retrogradem un pas.
Les banderes indiquen el camí
cap enrera per l'atemptat del vent.

El passat és la terra de cascú,
àdhuc del vianant explorador
d'un demà que es podreix sobtadament
bon punt s'aboca al finestral del temps.

Res no és nou, res no mor, tot és ahir.

BANYES AL SENY

Hom adultera amb ínfules d'expert
si no amb grollera il·lusió de ruc.

Ara reïx el tort dels impostors.

Dispersen els corrents més transcendents
i emmerdissen, amb guants, les altes deus.

Endebades esquiven el maltret
que envigoreix i justifica el pur.
Cauran al toll de les insanitats.

Posen banyes al seny: un joc obscè.

Entre tots ho hem malmès gairebé tot.

EL MEU ORGULL

Sóc tan petit? Quasi no res? Sóc jo!
Vegeu-me: amido l'univers a pams
amb els dits, des del gros al menovell.

M'ultrapassa un avet? No ho puc jurar.

L'estelada, polsim de llantions.
La llunyania rebla el meu orgull.

Si acluco els ulls encara em veig més gran.

Oh ment, oh ment, dimensió infernal!

Nou mesos, vint-i-un dies i sis hores
durà l'estada –amb creixement– de Laia
al centre cavernós de Na Sileta.
Potser ja veu, però no mira, el sostre;
jeu, dorm, mussita un plor. Sovint s'amorra
a la font de la vida; delerosa
xarrupa el nèctar. Clou les mans, braceja.

¿I l'esperit de Laia, mentrestant,
és mínim i somort com el seu cos?
Els esperits són impassibles, oi?
No creixen i no moren, tan subtils.
La malaltia no els sotmet, ni el son,
ni el desmai; no enfolleixen... Doncs, què hi ha?

Hi ha unes cèl·lules fines que en poc temps
prosperen i esdevenen conscients.
L'ànima és vida: nervi, carn i sang,
que s'usen i es consumen a pleret
o s'espatllen només parcialment.
O cessen de cop sobte. I és la fi.

(Entre l'home i el gos, al capdavall,
la dissemblança tot just és de graus.
Com a ésser sabent dic sense embuts:
amb l'instint ja n'hauria tingut prou.

I allò que més em fot és el magí,
renou espuri de l'enteniment,
bruixot falsari, pare de la por.)

L'ALTRA FE

A E.V.

Un ponent tardoral, cardenalici.

Surt al balcó la lluna sense ofici:
pal·lidesa papal de vice-sol,
blancor incerta i amarga com un dol.
Per al ramat encara pleniluni,
de minves penarà fins que s'enruni.
(Fotos de ben a prop i a tot color
dementre comunica amb Sa Grandor.)

Guerrer i xoví, que sempre s'enrabia,
és ell, Jahvè, qui ens dóna el pa del dia?
¿Hem de creure —ho diu Pau guillat de zel—
que tota autoritat prové del Cel?
Aristòtil paït pels escolàstics...
(No n'hi ha per clavar-los quatre fàstics?)
Com pensa un monjo gairebé amic meu,
els teòlegs no saben res de Déu.
(Ja és hora d'esvair tanta quimera,
tofut destorb per a una fe sincera.)

Els cristians, d'ençà de Constantí,
cal que cerquin Jesús al sanedrí?

Catòlica, apostòlica, romana!
És que no gosen dir-ne cristiana?
("Romana"? Un truc! "Catòlica"? No tant!
"Apostòlica"? El Mestre va al davant!)

Fe-ficció, folklore, fetitxismes...
(No fan l'agost els fabricants de cismes?)
Toaletes i bombons. Tresors, palaus:
a més de les de Pere, quantes claus?

Les llavors de Jesús, prou abundants
¿quan pendran a l'entranya dels humans
per al retorn, en treballosa albada,
de l'altra fe desvaticanitzada?

NOCTURN

En nits d'insomni i ajocat en pau,
obro els ulls dintre l'èter tenebrós
que em sepulta religiosament
sota una terra fràgil, sense pes.

Sóc un cadàver fresc, lliure de cucs,
que pensa a poc a poc en un futur
lenificat, bé que fugaç i estret.

La fosca esborra els solcs del trist passat
i alenteix el compàs del baticor
perquè el present duri un xic més tot just,
com si em volgués, per màgia, transferir
el demble aquietat d'un nadó adult.

Temps impartible i hores sense nom.
El món no para de rodar i rondar?

Apunten cap ací prudents albors,
declinen més enllà ponents vermells
i migdies totals esclaten lluny.
No són somnis, són visions de cec.

I jo respiro, a penes pacient,
en braços de la nit, com ella mut.

La nit abandonada pels dorments
i desdenyada pels somiadors,
que cerca dels insomnes el consol,
la companyia.
La complicitat
en el seu crim de tanta falsa mort.

RETRAT DE DESCONEGUT

Rabassut i xerraire putxinel·li,
desenvolupa activitats estèrils
al servei sense solta de les causes
macades i estantisses que propugna.

Culte, però xaró, de gust mongívol,
autòmat picaplets, per torna fatu;
papista, poetastre, personatge
de sainet ranci, de conxorxa bamba.

Doble: mig botifler mig patriota.

Fat succedani del prohom d'armilla.

Qui el vulgui respectar que no l'escolti
i se n'allunyi sense ni mirar-lo.

VERSOS ELEMENTALS ALS CATALANS DE 1969

Catalunya, València, les Illes,
tot plegat Catalunya, la Gran,
amb gent i la terra i la llengua,
i el passat i el present,
i el futur que ens espera,
bo o dolent, infal·lible!

Som encara, aquest any –i en fa trenta!–,
un país malmenat per les grapes d'uns amos,
que barregen, impregnen, rebreguen
i enllorden
un mapa que és nostre
i en dir nostre vull dir
dels qui són catalans
per la sang conscient o la tria,
els legítims hereus
d'una pàtria petita, com tantes.
(Puix que tots ho sabem i ho sofrim:
la naixença, ella sola, no dóna,
què és cas! nacionalitat
als venuts, traïdors, botiflers,
ni als lacais i als servils
–declarats o secrets, vergonyants,
ni als janus tampoc, dues cares–,
ni als panxuts embandats,
la fauna profusa dels bords,
la quinta columna que llasta, enferritja,
entrebanca i fatiga la nostra esperança!)

Però amb tot, malgrat tot,
operem i avancem,
pacífics, potser pusil·lànimes,
però mai resignats
i sempre tossuts,
i obrim cada dia
–importuns, enfadosos, burxons–
clivelles de llum en aqueixa presó
on, al cap i a la fi, respirem;
però l'aire és confús, estantís
d'una pau corrompuda, d'una pau corruptora,
tan injusta, fundada en la por
d'un ordre incivil
que ens esprem a profit

dels Altíssims Senyors que l'imposen
i emmetzina penombrosos racons
on uns homes anònims
pateixen, herois del silenci lleial,
el turment i la infàmia
entre mans mercenàries
(¿com pot la natura criar aqueixa gent,
vergonya de qui l'ensinistra
i la paga, i així la manté
sempre tensa en un odi de segles?)

Ben cert, les mordasses encara ens fan muts
o quecs, o destorben paraules verídiques,
denúncia obligada,
fins el clam carregat de raó contra oculls escamots,
mal comprats, brutalment ofensors,
que els ulls grossos dels Alts,
sorneguers, deixen fer.
I així són castigats els qui imploren justícia!

Puix que tots ho veiem:
els Summes Senyors Intocables
conjuminen, avui, amb sarcasme,
segons lleis que ja neixen guerxades,
tribunals que resulten incerts, però dòcils,
guarnits de togats,
xerraires minúsculs,
fatxendosos autòmats
que tremolen per dins com les fulles.
I Temis adés fa plorar i adés riure!

Instal·lats als palaus i als balcons i als passeigs
—que els besavis i els avis i els pares
ens varen llegar—,
els Altíssims Senyors
sempre entre ells, per a ells,
representen amb pompa farsesca
i somriures quallats, fotogènics,
un joc, paròdia cruel
del net regiment
d'un poble que malda i s'esplaia
i s'aferma i progressa
—en les arts i l'estudi
i el treball i el comerç, i l'esport
i en els cants i la dansa—
contra vent i esquivant

la traveta, el cop baix,
el parany i l'esquer llaminer
(però ells, si per cas, sempre inflats,
ens engeguen les grans desfilades
de monstres d'acer, sorollosa ferralla,
amenaça sinistra,
excessiu espantall,
dreçat, sí, contra el poble
indefens i badoc
que calla i treballa, i que paga!)

Un poble que acull, fraternal,
centenars de milers d'homenets
de les pàtries veïnes,
fugitius a tot risc d'unes terres eixorques,
que els Altíssims
abandonen a llur doble destí
d'enormes ermots i vedats senyorívols,
a despit –qui ho entén?–
dels tan publicats i vantats regadius formidables,
que tots, i nosaltres davant, hem bastit
si us plau, no, doncs per força!

Però som catalans
–beneïda mercè de l'atzar–
i ens cal viure i morir catalans,
i ens pertoca adreçar qui sap com,
de totes passades,
en temps de maror o de falsa bonança,
amb la vista i el cor llançats endavant,
aquest nom i aquest fet i aquesta natura
tan propis i autèntics,
no venals, entranyats fins a l'ànima.
Com podem dimitir la nissaga?
Altrament, on cauríem?
Descastats, sense arrels,
més poc fórem que un arbre,
que un ocell de bardissa,
que els camins que petgem cada dia.
Com robots de carn i de sang,
erraríem pel món sense rostre.
Ni la llar ja no espera qui renega la pàtria,
miserable germà que ha perdut la bandera
i el cel blau o estelat o en tempesta,
que fou tàlem del seu primer alè.
Cal que esborri per sempre el record de la mare,

del cloquer del seu poble,
dels bells noms d'una font, d'un pujol;
d'una blanca masia amb paller
i una noia gentil al llindar;
dels tendres o bròfecs companys d'infantesa,
del vell mestre que un dia els parlava,
d'amagat, en la llengua sagrada de casa,
amb la veu mig rompuda!

Perquè som i ens sentim catalans
estimem i cerquem, en la lliure abraçada,
l'esperit i l'exemple
d'altres pobles de races i llengües diverses,
i el tracte de tots, i el contacte,
a profit de l'empresa comuna i urgent
de mudar el món i els homes
en la pau solidària,
i en l'entesa fecunda;
tots francs i benignes,
generosos, fidels, sense enveja,
tots plegats contra els focus
de la vil cobejança,
del diner corrosiu,
dels terrors metafísics,
dels paràsits amb vara o espasa, o amb bàcul,
de l'orgull de la sang blava i pútrida,
del poder d'una força robada...

Catalunya, València, les Illes,
la Gran Catalunya,
amb la gent i la terra i la llengua,
i el passat i el present
i el futur que ens espera,
bo o dolent, infal·lible!

Tot depèn, sapiguem-ho!
de la fe, de l'amor,
de les obres.
Tot depèn de nosaltres.
Tot depèn, sobretot, de vosaltres:
els joves!

Cap d'any 1969

ALS LACAIS PÒSTUMS

Ningú no bastirà la seva casa
damunt fonaments fluixos.

Cap arbrissó no esdevindrà un bon arbre
si té les rels podrides.

Mai no emprendrà la nau una singlada
si abans no lleva l'àncora.

Conserves velles ranciegen, puden.

Cal derrocar les obres ruïnoses.

Més val partir de zero que de femta.

Pastors que mantingueren la ramada
famejant dins la pleta,
lluny de la pastura,
són granment culpables...

Crim contra el poble
clama venjança,
genera penes dures.

Ningú –ni el déu– no pot amnistiar-les!

Gener 1976

A MI

Sobre un tema de Rozewicz

Ara que hi penso...
Tinc tantes coses entre mans.
Feines urgents.
No em recordava que també
he de morir.

Sóc tan distret!
M'havia descuidat
d'aquest projecte
o m'hi aplicava
sense gens de zel.

A partir de demà
repararé l'oblit.

Volenterós,
començaré a morir
amb seny, entusiasme,
esparpillament.

POESIA EMPÍRICA

Primera edició: Barcelona, Edicions Proa (Els Llibres de l'Óssa Menor, 114), 1981. Pròleg de Joan Oliver. Amb un aiguafort de J. Granyer. Premi de la Generalitat de Catalunya 1981.

COL·LOTGE NOSTÀLGIC A L'OMBRA D'UN TAMARIU

Sóc un noucentista a la vista,
vull dir garantit, dels solvents.
Cerqueu un altre noucentista
al cul-de-sac del mil nou-cents!

Penso que sou tercer a la llista;
primer i segon són els manents.
(N'hi ha que fan l'avanguardista,
salvats i foixos fraudulents...)

La resta...
Tot micos i mones,
meitat robots, meitat persones,
que martellegen murs, no claus.

¿Qui empra el qui-sap-lo i el suara
com si rodés el segle encara
amb bellafilles i gueraus?

Tot just rematat l'estrambot
us convido, si us plau a un got.
Anís o rom?
No, ratafia,
però beurem amb ironia.

Com els embriacs d'en nogués?
Gairebé. Si en riba ens veiés!

DONCS ELL PROPOSA LA POESIA TÀCTIL

La poesia del tacte
o del grapeig, tant se val,
no deixarà res intacte
al mig, dessota i a dalt.

Concret, lliure de mentida
l'art del palp és el més viu!
Premeu, manucleu, munyiu
amb pauses però sens mida!

Pel cap baix els falta un bull
als poetes de la vista,
guenyos que han perdut la pista
o que tenen brossa *a l'ull.*

Quant als poemes-objecte,
tots de mira'm i no em tocs,
alguns fan riure, en efecte,
però no arriben ni a jocs.

No us expresseu amb minúsculs
estris o símbols neulits.
Tingueu, doncs, la vista als dits
i a tota la pell i als músculs.

Qui gaudeix amb el que veu
és un il·lús o un tanoca.
Com aquell bonàs creieu
només en allò que hom toca
amb mà, boca, sexe: arreu!

Ara i aquí, més que mai,
la poesia del tacte
serà un èxit, això rai!
i sobretot farà impacte
entre els minyons del món gai.

PER UN JOCS FLORALS FINALMENT LLIURES I DEL NOSTRE TEMPS!

III Restauració

Sota l'advocació del Serafí Pitarra del Don Jaume, *del Sagarra de tertúlia i alcova i del Fages de Climent de les quartetes clandestines.*

Crida

Ara que tots els poetes,
mestres o no en *Gai* Saber,
sou quitis de lleis estretes
i dels calçotets amb vetes,
els NOUS JOCS DEL VAS QUE PETES,
planegeu a tutiplè.

Des dels dies de la Isaura,
quants trobaires de joc net!
Però de cop ve en Valldaura
i us diu: "Bards, tireu al dret!"

Entremig dels floralescos
no hi vulgueu sagristanescos,
ni clergues celibataris,
ni papistes, ni rendistes,
banquers, sorges o notaris,
ni botiflers dits centristes,
ni censors dits ordinaris,
cap marit carca o sever,
ni homes o dones de l'opus
–tant se val actius com dropos–,
ni cap patrici *voyeur!*

Una meuca jove i fina
i només amb mantellina
serà reina del concurs
i un docte i ferm pederasta
mantindrà ben dreta l'asta
tan llarga com el discurs.

Que es trobin ara compresos
en els JOCS tots els esplais,

des dels amors dits cortesos
fins els avui ja permesos
fornicis dels mestres gais.

Potser a uns Tals del consistori,
en llegir una "flor del mal"
–com qui diu "flor natural"–
se'ls armarà un cert desori
molt a prop de l'engonal.
Que no es torbi llur judici
davant mots que fan dir uix!
i compleixin bé l'ofici
baldament amb el desfici
se'ls inundi l'entrecuix.

(A més, per a folgar i riure,
les peces de tema lliure
i amorós hom les pot viure
davant el públic en llits
amb matalassos de ploma
com els que empraven a Roma
–i molt abans a Sodoma–
els amants més distingits.)

Prou rimes fosques o falses,
s'ha acabat el trobar clus!
Força tall i gens de salses!
Heu d'escandir sense calces
i si pot ésser ben nus!

Poetes i poetesses
no amagueu més amb disfresses
o sota teles espesses
allò que us bull a la sang.
¿Oblideu que la Cultura
ha de ser, com la Natura,
amoral, oberta i pura,
sempre lliure d'entrebanc?

Barregeu odes i espasmes!
Que el SALÓ DECENT d'antany
trontolli de tants orgasmes
sots l'anatema i els blasmes
del senyor Narcís Jubany!

ESCOLI DEMESIAT

No guard avant ne membre lo passat,
sols del present estic quasi segur.
Només allò que veig amb claredat
colpeix els meus sentits de vell madur.
Per cap record no amollaria un sou
ni cap desig no em causa il·lusió.
Toco una pell, tasto un palpís de bou,
escolto un cant o ensumo qualque olor.
Tot el que és prop se m'afigura nou,
tot el que és lluny no em fa fred ni calor.
Ací i avui: res més i ja en tinc prou,
demà i allí són mots sense raó.

Ja no conec mon dan o mon profit
i dintre meu sovint em diu el seny
que faig camí per un desert, de nit,
però no atenc ni bon consell ni reny.
Res no m'atrau, cap cosa no m'empeny,
m'estimo jo només, d'amor marrit.
Mar, terra i cel fan un posat ferreny
quan mon esguard me'n sembla posseït.
La usura, ai las, no pas el pas del temps,
enferritjà la màquina que em du.
I resto enclòs, barrat pels dos extrems.
Sort que la mort festeja mon cos nu.

TOT ESPERANT

Van dir que tornarien aviat.
Abans de caure la tercera nit.
N'han caigut més de cent i no han tornat.
Ens detesten.
Potser...
Ten-ho per dit.

I si provessis d'eixamplar el forat?
Martell i escarpra, blau o sangtraït.
Ens prometien sol, no soledat!
Hi ha llumins?
Només un i encara humit.

Doncs au, votem!
I si empatem? Som dos!
Resaré un parenostre al meu difunt.
El teu és un difunt molt peresós.
Tens fil i agulla?
Sí.
Fes-me un repunt
a la boca i així ni veu ni tos.
Però, jo què?
Tu has de callar per punt!

CONTRA EL CONSENTIMENT

La profanació passa de moda
i és molt de doldre tanta deixadesa.
Hem oblidat l'ofici de la roda
que serveix sempre la mateixa empresa
i alterna l'ombra amb el *protagonisme*
entre els raigs que no cauen mai en cisma.

Companys, ja és hora! Profanem les ares,
les corones, els bancs i les banderes,
la fama fraudulosa de les mares,
els juraments d'amor sense fronteres.
Profanarem, violarem, procaços,
tots aquells nusos que aparencen llaços.

Apa, barrem tants de camins errívols!
Doncs xuclem el cervell dels operaris
intel·lectius, que a l'atri dels prostíbuls
deixaten *veritats* –jueus o aris;
també el magí de cent artistes frívols
i dels lladres covards o sedentaris.

Contra déus, mestres, filisteus, estetes,
pires, patíbuls, glavis, metralletes!

CANT D'UN HOME

Si el món ja és tan formós...

J.M.

Fóra tan bo que la Natura entera,
éssers vivents i forces en renou,
tot aquest Tot, Senyor, distant o pròxim
a poc a poc tendíssim al repòs
i, encara més –parlo per mí–, al silenci
i a la llum indirecta, com de llimbs!

Dolç desenllaç per a la temerària,
tan abusiva lluita universal!

L'home sota el dolor, sota la por!
I per torna només la jovenesa
sovint, massa sovint, pel fat malmesa,
i les fràgils i força fugisseres
fruïcions del cor i de la carn,
que paguem a preu alt tantes vegades.

Catàstrofes en terra, cel i mar,
hàbit gens rar de la natura cega.
Crims terrífics, atroces agonies;
i tanta fam, i els odis i les guerres
amb tanta sang, obra brutal dels homes.

L'altiva iniquitat dels poderosos!

Eina del bé i arma eficaç del mal,
la nostra consciència, quin misteri!
La bonesa dels bons, tan apreuada,
és impotència, covardia, truc?

Em puny el cor aquesta visió
d'un món formós i monstruós alhora!
Sempre per a la mort, per a la mort
tantes naixences, tantes renaixences!

La fe en un Cel ulterior em falla
i el No-res –res de res!– no el puc concebre.
Doncs si és així, deixeu-me que us invoqui:
Senyor ¿per què, afligit o decebut,

no suspeneu el vol de l'Aventura?
Esbravat ja l'orgull de Creador
¿encara us plau sentir-vos responsable
d'una funesta Realitat sotmesa
a les estultes regles de l'Atzar
o, molt pitjor, de la Necessitat?

Atureu la carrera, el curs, el Temps,
occiu la Mort i no acreixeu la Vida!
Eternitat és goig en quietud,
és Bellesa perfecta, imperfectible!

Us parla un cuc raríssim, ja ho sabeu,
 i que es pensa que pensa...

Senyor, misericòrdia!

EDAT ANTIGA II

Vaig tenir un oncle capellà: l'Enric.
Dels tres barons era el més jove,
la resta tot germanes.
Pensant en el destí que l'esperava
la seva mare el decantà
des de l'edat més tendra
als jocs de capelletes amb jesusets i verges.
D'adolescent sembla que fou
ple de vigor, amb ulls d'alarb,
envejós, cúpid, dòcil per càlcul
i molt precoç i curiós prop de les noies.
El meu pare, l'hereu,
mai no havia lligat amb el futur prevere,
el qual de pietós res no en tenia,
ni les ganes.

El germà gran, prou conscient,
veia venir el gran disbarat que es preparava,
però el seu pare, i avi meu,
menaria l'Enric al sacerdoci.
Era llavors costum que un fill
–no pas el primogènit–
rebés ordes majors.
El xicot, negat per a l'estudi,
debades es planyia i rebel·lava.
(Per la meva padrina, una tieta,
vaig saber que l'oncle,
a un mestre vell
que el castigava amb la palmeta,
desvergonyidament li deia:
"Ja pot pegar, jo no me'n sento!
Vostè sí que es fa mal!")
L'avi, tossut, de connivència
amb el bisbe de Vic, un tal Morgades,
perseverà en aquell projecte
molt més que temerari.
Una família d'upa i amb cabals i terres,
i prou nombrosa, quasi populosa,
requeria un ministre de l'Altíssim,
guia i exemple per a la parentela
i fins i tot assegurança
–amb misses i pregueres
professionalitzades–

contra l'Incendi perdurable.
Aviciat i consentit,
apuntalat pel nepotisme:
"El senyor Bisbe l'apadrina!",
la seva barca arribà a port
ara i adés caic i torno a caure
–més d'un cop s'evadí del seminari.
I amb escàndol de mestres puritans
fou perpetrat el sacrilegi.
Un dia gloriós cantava missa.

Flamejà molta cera
entre garbes de flors blanques i roges
–la puresa i l'amor–,
càntics i músiques;
l'orgull i la tendresa o el respecte
de tants parents amics i servidors,
masovers i parcers de les hisendes,
els regents de la fàbrica,
ensotanats a manta
i aquell Sardà i Salvany,
mentor de la família,
integrista integèrrim,
autor d'un petit llibre
que féu molta forrolla
en el qual l'eclesiàstic concloïa
no menys i ja està bé: el liberalisme
és un pecat mortal.
A l'àpat suculent, de tres passades fermes,
a part els entremesos i les postres,
sota la nau més vasta
dels magatzems del pare,
els murs ornats amb creus i símbols
enaltidors del sacre ministeri,
jo, de set anys,
llavors bonic, cabells de patge,
inaugurava els brindis;
dempeus damunt una cadira
vaig recitar de cor
i amb la veu trèmula:

Vestit d'alba puríssima
i casulla riquíssima
de sedes i d'or fi,
mon oncle, quin goig feia
quan tots los ulls atreia
a l'ara, aquest matí!

És tot el que recordo
d'uns versos que escriví cert escolapi,
cec de tan vell i erudit llatinista,
propparent de la mare.

Mossèn Enric va ser un mal capellà,
veritat inconcusa,
planeta previsible.
La culpa no fou seva!
L'avi el deixà tan ric com el mateix hereu
per tal que fos la providència
dels germans o germanes poc sortosos:
va ser una providència
sorda, cega i guita!
Hauria estat bon pare de família?
La mare així ens ho deia,
bé que la seva flaca,
ultra els diners, eren les dones;
en aquest segon punt fou coratjós
i un peoner, cal dir-ho.
Ja mort l'avi
mudava tot sovint de majordona
fins que en trobà un parell de prou xamoses
tan ben plantades com desaprensives,
l'una morena i l'altra rossa,
un ali de sarsuela!
Arrepapat entremig d'elles,
amb carretel·la descoberta,
transitava sovint per la ciutat.
"Escàndol i vergonya!" feia l'àvia
i els meus pares,
i amb ells tots els parents,
gent púdica i beguina
i en part molt ressentida
en veure que la font de l'oncle
es desviava de la germandat
i de la nebodalla.
I acudiren al bisbe
per tal que li parés els peus
o el que calgués parar-li.
Però el prelat,
còmode i diplomàtic, argüia:
"Mossèn Enric fa força almoines.
Potser són males llengües..."

Tanmateix el pare
del tot mai no hi va rompre
mentre visqué l'àvia.
Passava temporades amb nosaltres,
penedit i esmenat en aparença.
I els nebots, com ens hi divertíem!
Estrepitosament, d'oïda,
feia sonar al piano
valsos i marxes militars,
coblets en voga
als quals posava lletres potineres
i la veu era eixordadora.
En els jocs de jardí ens acompanyava
i ens enardia a fer-los violents,
amb la sotana arromangada.

Per tal com un besavi
va ser cambrer secret del papa,
podíem celebrar la missa a casa,
en oratori o en capella
o en qualsevol estança
sempre que la del pis de sobre,
si n'hi havia,
no fos, de cap manera! un dormitori.

I succeí que l'oncle
em va voler per escolà;
innocentment vaig ser-ne còmplice!
Heus aquí perquè ho dic:
ja ensinistrat en la comesa,
gosà de fer-me confidència
del seu propòsit esportiu:
volia batre el rècord...
Rècord de què? Doncs de velocitat
en la missa resada!
"Serà un secret entre tu i jo",
va dir-me, murriesc.
El contuberni m'engrescà, cal dir-ho?
Feia prou temps que jo
imaginava històries i misteris.
Però tornem a l'oncle:
ja revestit verificava l'hora
i cap a la capella a corre-cuita.
En retornar a la sagristia
pressosament miràvem el rellotge
i ell, exultant i a sota veu:

"Avui un guany de nou segons, apunta-t'ho!"
Els progressos més forts els obteníem
quan celebràvem sense oients,
però la mare, pobra, no mancava
ni un sol matí i ens feia nosa.
Un dia tanmateix a Ciutat de Mallorca
–vam passar a l'illa tres setmanes–
assolírem la marca sospirada:
vuit minuts justos, ho recordo.
A la gran catedral, arran de la badia
ens van cedir l'altar més solitari
i, sense testimonis,
la missa fou esprint de cap a cap.
Ja tot a punt, guipà el rellotge
i es llançà pista avall
com un atleta a La Molina.
Oracions enteres es saltava,
era veloç en moviments i gestos
a l'estil de Max Linder.
L'escolanet el secundava,
servil, enjogassat.
Quan arribà l'*Orate frates*
jo responia a penes
amb un mormol de tres segons
i endavant les atxes.
A l'Evangeli vaig traginar el gran llibre
d'una banda a l'altra
com qui porta una bomba amb metxa encesa!
Finida la proesa
els ulls li espurnejaven
i em premià amb una abraçada
mentre deia: "La basa, qui ens l'empata?
La intenció, Joan, és el que compta.
El mínim dins el màxim!"
(Aquesta magallada sovint la repetia.)

El seu llatí no era ni bàsic,
només llegia sense entendre'l gaire
el del missal i gràcies.
Quan jo en passava el segon curs,
un dia, a taula,
de cop li demanava
que declinés un mot de la cinquena
i ell va fugir d'estudi:
"Fúmer! pregunta-ho al teu mestre,
per això cobra", em feia.

"Mossèn Enric no sap llatí!" clamàvem
tots els germans a l'una.
Per sota el nas el pare reia.
I la mare: "Calleu d'una vegada!
Respecte, nois, respecte!"
Al camp, certs vespres, quan plovia
ens aplegàvem a la sala
i mentre el pare treia comptes
i les dones cosien en silenci,
i nosaltres jugàvem, potser a l'oca
o amb els soldats de plom a guerres,
o componíem trencaclosques,
el mossèn enfonsat en la poltrona,
breviari en mà, resava;
només ho feia veure,
movia massa els llavis i la vista
ara i adés vagarejava
d'ací d'allà, avorrida.

L'àvia, anys després,
caigué greument malalta
a la casa pairal de Castellar.
Una agonia cançonera,
setmanes i setmanes,
la prostrà al llit, tranquil·la,
però a penes lúcida.
Temps de verema, el pare era a les vinyes
i arribà l'oncle amb la tartana nova;
i el tartaner era un pinxo,
potser mig alcavot,
caninament afecte a l'amo.
El reverend entrà a la cambra,
amb una excusa n'allunyà la Rosa,
vella i fidel serventa,
i sigil·losament tractà de fer-se seves
les claus de la malalta,
que ella guardava a la tauleta.
Eren les claus sagrades dels armaris
de ciutat on l'àvia
escondia entre roba adotzenada
els seus tresors en joies,
monedes d'or, els títols
de deute de l'Estat.
Ell ja obria el calaix, però de sobte
la dama es deixondí i endevinava
el brut designi del seu fill,

a qui d'altres vegades
ja havia denegat, enèrgica,
allò que ara intentava de robar-li.
"Enric, Enric, què fas?
Les claus són meves! Lladre!"
I llançà xiscles, crits d'auxili.
La cambrera i la mare
prou van sentir-los i també nosaltres
que tornàvem del bosc.
Les dues dones
entren al dormidor, desalenades.
I en aquest punt arriba el pare.
Els planys de l'àvia no cessaven.
L'escena fou vertiginosa.
Escorregut, surt l'oncle de la cambra;
per la porta entreoberta la serventa
treu el cap i exclama:
"L'he vist com forcejava amb la senyora!"
D'un cop d'ull el pare
comprèn el cas i butxaqueja:
la mà empunya un revòlver
–un Colt empavonat, de poc calibre–,
ell sempre duia una arma curta o llarga.
Enfuriat, en fred silenci,
encanona el germà;
aquest en fuïg cercant una sortida,
es parapeta rera un moble,
després hissa
el nebot de menys pes
i amb ell es protegia.
La mare, com cridava!
"*Antonino,* no et perdis!
Per Déu i per la Verge!"
El majordom irromp a l'escenari.
Home robust i rústec,
s'abraça al pare per tal de dominar-lo:
"Serenitat, senyor *Antonino*!"
Mentrestant el culpable
s'escapoleix com una rata,
sense guants, ni breviari, sense teula,
fins al carruatge que l'espera,
cap a la llibertat mal afanyada...

Només el vàrem tornar a veure
el dia que enterràrem l'àvia.
(Una carrossa babilònica,

quatre cavalls,
cotxer i lacais tots a la frederica
–així ho deien.
Una imponent capellanada,
amb llurs brandons els pàrvuls de l'hospici.
Vels negres, levites i copaltes.
Temps tardoral i rúfol,
l'entorn tot era musti:
el parc, els margenals plens de geranis,
les hortes, la pineda.
Ja fora del reixat,
una feixa pudia, escandalosa,
adobada de fresc, no amb fems
sinó amb mesquita.
Després, ja al Pla de la Bruguera
la llarga, fosca, lenta
corrua de cotxes i tartanes
–només dos automòbils,
que eren llavors encara una raresa.)

L'oncle havia acudit per força,
cap cot, cua entre cames,
guardat per l'arxiprest i altres preveres:
al preu que fos calia
salvar les aparences i l'exemple
d'una família unida i cristiana...
Mossèn Enric rebia,
untuós i compungit,
condolences servils,
hipòcrites paraules piadoses.
Però els meus pares, rígids, l'ignoraren.
Nosaltres, ja conscients
i sense dir-nos-ho,
no li vam fer ni l'amistat,
tret del petit, cinc anys, un àngel.

* *

Mossèn Enric, inoblidable i míser!
Tràgica fou la fi d'aquella vida!
A Barcelona, un juliol terrible,
va caure assassinat per lladres
–incontrolats, en deien,
de fet producte irresponsable
dels poderosos,
en un món fals que encara invoca,

cínicament, Jesús de Galilea.
I caigué a plena llum i amb cruel sevícia,
un cop l'hagueren desposseït de tot,
de la riquesa, el déu que ell adorava.
Una veu cristiana i compassiva,
digué, llavors, a guisa d'epitafi:
"Atzar feliç, drecera redemptora,
ha estat per a ell aquesta mort horrenda.
Requiescat in pace!"

Trobà ben cert la pau.
Ja lliure de vermina
–potser una creu i ossos–
reposa al panteó familiar,
la sola terra que, de tantes,
avui encara em resta.
(Al soterrani
només hi ha un nínxol buit
i de dret em pertoca d'estrenar-lo.)
Teló ràpid.

ALS MEUS ANYS

Un matí fosc, a Sabadell,
vau enraigar el meu calendari.
D'antuvi fóreu un cadell
que xucla el mugró mercenari,

en un segle de grans invents
que ja exhalava la ranera,
sobre un fons de fums indecents
a la xemeneia altanera,

més que els avets d'aquell jardí
que el meu reialme ben tost fóra.
Doncs sí, vau néixer just amb mi
un novembre amb gebre, a l'aurora.

Sempre més m'heu restat fidels
com la meva ombra, cada dia,
davall el sol, sota els estels
que sovint la boira obscuria.

Primaveres, estius, tardors,
després geners, febrers atroços
amb penellons, febres, dolors
al cap, al coll, al ventre, als ossos:

eren les passes d'aquells temps
i sis germans foren pastura
—quatre dels quals gairebé ensems—
d'una mort més que prematura.

Vosaltres m'heu acompanyat,
ròssec sigil·lós, incorpori,
i no pas sense pietat,
fins al cim d'aquest promontori

des d'on llambrego amb ulls somorts
i la mà a guisa de visera
el camí fressat per tants morts
en interminable renglera.

Vosaltres, anys, vosaltres, anys,
que aneu creixent mentre jo minvo
i vaig capejant els paranys
entre els quals tanmateix m'estimbo!

Fins que arribi la nit, potser
d'un maig festiu, tot en florida,
quan de cop deixareu de ser
el pretext de la meva vida!

Aleshores vindrà el no-res
o la pau d'un celest imperi
on els anys ja no compten res.

El temps no suporta el misteri.

A UN POETA JOVE

Arran d'una confidència

Aqueix poeta amb nom de trobador
—es diu i l'anomenen Bru de Sala—
ha desat el llaüt sota l'escó
i ara cobleja sense martingala.

Tot just comença de pujar l'escala,
vull dir que, per sort d'ell, és un minyó
amb ales noves, gens tocat de l'ala,
no com els qui ja volen de cantó.

Tant de bo desoeixi les sirenes
i escolti les veus ronques o serenes
de la terra ferida a què pertany,

dels desolats o resignats a penes,
dels qui encara arrosseguen les cadenes
que algú ha pintat com llaços per a engany!

11 setembre 1979

ALTRES POEMES

JOCS FLORALS

A la Plaça de la Llana
fan cada any uns Jocs Florals
on concorren els poetes
més florits d'aquests ravals.

Escolteu, si no, l'estrofa
d'un poema aurifluent
i que el docte secretari
subratllava justament:

M'albiren amb manta cura
bo i curulls llurs ulls ferrenys,
que àdhucací nogensmenys
de quelcom sento fretura!

A la Plaça de la Llana
fan cada any uns Jocs Florals...
A la Plaça de la Llana
sonen versos immortals...

Però amb tot hi ha un feix de savis
plens d'enveja i turpituds
que els ignoren o fan mofa
de la llana i els llanuts!

1960

SILENCI PERSONAL

Quina pau fugacíssima
de captaire untuós m'he guanyat!
Quasi res. Silenci personal.
Pensar només: no vull pensar.
No conviuen, per sort, dos pensaments.
Immòbil, incomunicat.
I un gos als peus:
"És avorrible sense un gos la vida".
(I també encara m'hi reconcilien,
mísera pols que sóc,
torrades de pa anglès amb melmelada.)

Soledat meva, a penes jo;
ningú, però amb dolcesa.
Com qui beu imperceptiblement
un èter negre lluny del temps.

Puix m'afligeix –ja hi som!– m'eixorda
fins a l'agonia
la vociferació ortodoxa
dels lluents encimats a les estrades
de qualsevol poder.
I em dic, supremament alliçonat:
"Entra a la cambra,
tanca la porta
i prega al Pare (quin pare?)
que està en el secret (quin secret?)".

Només això, tot just.
Ulls, orelles,
boca, nas i mans,
devers què i envers qui?
Tinc breu durada i un lloc estret, potser?
La meva involuntària vida
pesa una mica –pel dolor.

Com alena aquest zero mutilat!

Pensar només: no vull pensar.
La memòria –una lepra– es pot guarir.
Clou-te i reclou-te.
Digues: no.
No, no, no.

Tampoc, tampoc.
Mai.
Ni abans, ni ara, ni després.

1960

ÀRIA DEL DIUMENGE

El cordó, mare, entre tu i jo,
vint-i-dos anys que el van tallar;
però aquesta mala llet
de qui vols que la tingui?
Sí, prou que ho veig: tu ets mansa i resignada,
respectuosa amb els poders
–els coneguessis, els poders!–,
però vés a saber: potser algun rebesavi
que anava amb en Joan de Serrallonga!

Doncs no somiquis, no pateixis
perquè em remoc com una serp encaixonada.

Sí, calla, t'ho endevino:
t'han dit que faig de llop amic de xais.
Els xais, els nostres, que són tants!
Aquests, neguit i ràbia,
d'altres servils per càlcul i mofaires,
però tots amb el cor feixuc
del pes malaguanyat,
del temps perdut,
de la total i enorme cabronada.

No, mare; no em diguis amb veu prima:
"Noi, compleix i aniràs endavant
com el fill de la Rita bugadera
que ja és xofer de l'amo –m'han dit–
i va mudat tot gratis, i estalvia
per fer casa, i no renega, i..."

Prou, mare, que ja en tinc tot allò ple!
Jo sóc fet d'una fusta
amb massa grops; qui en té la culpa?
Treballar per a ells? Ja s'ho faran, gentussa!
No m'hi canso pas gaire, diguem gens.
Estic podrit d'impaciència
i d'esperances fules.

Les mosses me les miro de lluny:
perquè abans vull guanyar-me-les, comprens?
No com els gossos.

M'entela el nas
una boira greixosa que put a senyoràs.
Tot és llord al voltant,
tot és romàtic de tants anys
d'una pau de femer i casa de cites,
d'hospici i gran hotel.

Mare, és molt suat allò que dius sovint:
"Déu ens doni salut i feina!"
Ni salut de capó
ni feina comprada amb el rebuig!
Hi ha terres on els homes són homes,
on el treball és d'ells, de tots;
això no ho porten els diaris.
Aquí, bestiar de punts i pagues
i un capmàs d'aspirina, enterrament i absoltes.
Bestiar encorralat, encamionat,
que a vegades fins i tot renilla
i esbufega de franc visques i fores.
Fotre, mal...!
                    No t'esveris, dona.
Els diumenges com ara, quan m'afaito,
m'agrada molt xerrar pels descosits;
ni sé què m'empatollo...
Família, si em desessin
no em deixeu sobretot, mai de la vida!
sense celtes dels llargs...

Ja hi tornes, mare? Si no passa res!
Som el jovent, nosaltres. Ara ens toca.
És la llei del vaivé.
Alguns potser els espinyaran.
Jo, veus?, amb celtes en tinc prou:
del fum pudent em vénen les idees.

Mare, tens foc?

1963

SUMARI

QUEEN MARY & WESTFIELD
COLLEGE LIBRARY
(MILE END)

LES MILLORS OBRES DE LA LITERATURA CATALANA

Les obres i els autors més importants de la literatura catalana, clàssica i moderna, posats a l'abast de tots els lectors d'avui.

1 JOAN MARAGALL, **Elogi de la paraula i altres assaigs.**
2 SALVADOR ESPRIU, **Antologia poètica.**
3 JAUME ROIG, **Espill o Llibre de les dones.**
4 PRUDENCI BERTRANA, **Jo! Memòries d'un metge filòsof.**
5 ENRIC PRAT DE LA RIBA, **La Nacionalitat Catalana.**
6 JACINT VERDAGUER, **L'Atlàntida.**
7 NARCÍS OLLER, **Contes.**
8 ANÒNIM, **Curial e Güelfa.**
9 PERE CALDERS, **Cròniques de la veritat oculta.**
10 CARLES RIBA, **Clàssics i moderns.**
11 JOSEP CARNER, **Poesies escollides.**
12 JOSEP POUS I PAGÈS, **La vida i la mort d'en Jordi Fraginals.**
13 **Sainets del segle XIX.**
14 AUSIAS MARCH, **Poesia.**
15 MIQUEL LLOR, **Laura a la ciutat dels sants.**
16 JOSEP M. DE SAGARRA, **Teatre.**
17 CARLES BOSCH DE LA TRINXERIA, **L'hereu Noradell.**
18 MERCÈ RODOREDA, **Tots els contes.**
19 RAMON MUNTANER, **Crònica I.**
20 RAMON MUNTANER, **Crònica II.**
21 GABRIEL FERRATER, **Les dones i el dies.**
22 VALENTÍ ALMIRALL, **Lo Catalanisme.**
23 **Antologia general de la poesia catalana,** per J. M. Castellet i Joaquim Molas.
24 JOAQUIM RUYRA, **Jacobé i altres narracions.**
25 SANTIAGO RUSIÑOL, **L'auca del senyor Esteve.**
26 ÀNGEL GUIMERÀ, **Teatre.**
27 VÍCTOR CATALÀ, **Solitud.**
28 POMPEU FABRA, **La llengua catalana i la seva normalització.**
29 FRANCESC TRABAL, **Vals.**
30 JOSEP PIN I SOLER, **La família dels Garrigas.**
31 J. V. FOIX, **Antologia poètica.**
32 RAMON TURRÓ, **Orígens del coneixement: la fam.**
33 JOSEP PLA, **Contraban i altres narracions.**
34 EUGENI D'ORS, **La ben plantada / Gualba, la de mil veus.**
35 JOSEP FERRATER MORA, **Les formes de la vida catalana.**
36 RAMON LLULL, **Llibre de meravelles.**
37 JOAN PUIG I FERRETER, **Teatre.**
38 MANUEL DE PEDROLO, **Totes les bèsties de càrrega.**
39 EMILI VILANOVA, **Lo primer amor i altres narracions.**
40 MARIA VAYREDA, **La punyalada.**
41 BERNAT METGE, **Lo somni.**
42 JOSEP YXART, **Entorn de la literatura catalana de la Restauració.**
43 LLORENÇ VILLALONGA, **Bearn o la Sala de les Nines.**
44 JOAQUIM TORRES-GARCIA, **Escrits sobre art.**
45 SEBASTIÀ JUAN ARBÓ, **Terres de l'Ebre.**
46 CARLES SOLDEVILA / MILLÀS-RAURELL, **Teatre.**
47 **Romancer català.** Text establert per M. Milà i Fontanals.
48 NARCÍS OLLER, **La febre d'or.** I. La pujada.
49 NARCÍS OLLER, **La febre d'or.** II. L'estimbada.
50 JOAN ROÍS DE CORELLA, **Tragèdia de Caldesa i altres proses.**

51 Salvador Espriu, **Ariadna al laberint grotesc.**
52 Jacint Verdaguer, **Canigó.**
53 Joan Fuster, **Indagacions i propostes.**
54 Martí Genís i Aguilar, **Julita.**
55 Joan Alcover. **Cap al tard / Poemes bíblics.**
56 Frederic Soler, **Teatre.**
57 Miquel S. Oliver, **L'Hostal de la Bolla / Flors del silenci.**
58 Josep M. de Sagarra, **Memòries, I.** Cendra i ànimes. La matinada.
59 Josep M. de Sagarra. **Memòries, II.** Entre Ariel i Caliban. Les fèrtils aventures. Dos anys a Madrid.
60 Prudenci Bertrana, **Contes.**
61 Guerau de Liost, **Antologia poètica.**
62 Josep Carner, **Les bonhomies i altres proses.**
63 Llorenç Villalonga, **Mort de dama.**
64 Santiago Rusiñol, **Teatre.**
65 Josep M. Folch i Torres, **Joan Endal.**
66 Josep Torras i Bages, **La tradició catalana.**
67 J. V. Foix, **Diari 1918.**
68 Gaziel, **Tots els camins duen a Roma.** Memòries I.
69 Gaziel. **Tots els camins duen a Roma.** Memòries II.
70 J. Carner, S. Espri, J. Brossa, **Teatre.**
71 Joan Maragall, **Antologia poètica.**
72 Josep Pla, **El geni del país i altres assaigs.**
73 **Novel·les amoroses i morals.**
74 Eugeni d'Ors, **Glosari.**
75 J. Salvat-Papasseit/B. Roselló-Porcel/M. Torres. **Poesia.**
76 Bernat Desclot, **Crònica.**
77 J. Mestres / I. Iglésias / A. Gual / J. Vallmitjana. **Teatre modernista.**
78 Joan Puig i Ferreter, **Camins de França I.**
79 Joan Puig i Ferreter, **Camins de França II.**
80 Antoni Rovira i Virgili, **Nacionalisme i federalisme.**
81 Carles Riba, **Antologia poètica.**
82 Ramon Llull, **Llibre d'Evast e Blanquerna.**
83 Víctor Català, **Drames rurals / Caires vius.**
84 Carles Soldevila, **Valentina.**
85 Raimon Casellas, **Narrativa.**
86 Jaume I, **Crònica o Llibre dels Feits.**
87 Miquel Costa i Llobera. **Horacianes i altres poemes.**
88 Joan Sales, **Incerta glòria, I.**
89 Joan Sales, **Incerta glòria, II.** Seguida d'**El vent de la nit.**
90 F. Fontanella / J. Ramis, **Teatre barroc i neoclàssic.**
91 G. de Próixita / A. Febrer / M. de Gualbes / J. de Sant Jordi, **Obra lírica.**
92 Mercè Rodoreda, **Mirall trencat.**
93 **Antologia de contes catalans, I,** per Joaquim Molas.
94 **Antologia de contes catalans, II,** per Joaquim Molas.
95 **Teatre medieval i del Renaixement.**
96 **Blandín de Cornualla i altres narracions en vers del segles XIV i XV.**
97 Pere Quart, **Poemes escollits.**
98 Francesc Eiximenis, **Lo Crestià** (selecció).
99 Joanot Martorell, **Tirant lo Blanc, I.**
100 Joanot Martorell, **Tirant lo Blanc, II.**